PC-EHBO

Problemen met Windows 7 zelf oplossen

Consumentenbond

Dan weet je het.

1e druk oktober 2011

Copyright 2011 © Consumentenbond, Den Haag

Auteursrechten op tekst, tabellen en illustraties voorbehouden
Inlichtingen Consumentenbond

Auteur: *Lynn Wright, Which? Limited (Groot-Brittannië)*
Vertaling: *René Janssen*
Eindredactie: *Rob Schleiffert; Vantilt Producties, Nijmegen*
Verder werkten mee: *André Schild, Sjoerd Berkhuijsen en Bart Lucassen (Consumentenbond)*
Grafische verzorging: *Het vlakke land, Rotterdam*
Foto omslag: © *Plattform/Johnér Images/Corbis*

ISBN 978 90 5951 1767
NUR 980

INHOUD

Problemen met uw internetverbinding, vermiste foto's, apparaten die weigeren verbinding te maken met uw pc en virussen; ze kunnen u tot wanhoop drijven. En dat is precies waar dit boek goed van pas komt: bij het helpen met uw computermisère. Het staat boordevol adviezen die uw pc helpen soepel te draaien. Van problemen die direct opduiken zodra u de pc aanzet tot foutmeldingen die u midden in een activiteit overvallen.

Dit boek laat zien dat u uw computer de baas bent. U zult zien dat het gebruik van een pc niet een en al stress hoeft te betekenen. Met *pc-ehbo* kunt u problemen de baas dankzij stapsgewijze instructies en gemakkelijk te begrijpen adviezen. De schermafdrukken geven u visuele steun om exact te begrijpen wat u moet doen, en technische termen worden verduidelijkt.

Opmerkingen van de redactie

- De aanwijzingen in dit boek hebben betrekking op het Windows 7-besturingssysteem. Waar andere software of websites worden genoemd, verwijzen de instructies naar de nieuwste versies (geldend ten tijde van deze druk). Indien u een afwijkende versie heeft, kunnen de stappen enigszins verschillen.
- Alle technische termen in het boek worden behandeld in de kaders naast de tekst en/of kunnen worden gevonden in de woordenlijst op pagina 211.

1 HARDWAREPROBLEMEN

Door alle stappen in dit hoofdstuk te
lezen en te volgen, leert u:

- een pc te repareren die niet wil starten
  en een gecrashte computer te herstellen
- bekende opstartproblemen met uw
  computer te begrijpen en te repareren
- om te gaan met scherm-, geluids- en
  geheugenproblemen

Hardware
Fysieke apparatuur, zoals een computer, beeldscherm of printer.

1.1 Mijn computer wil niet starten

Als uw pc simpelweg weigert te starten wanneer u de aan-uitknop indrukt, is er vaak een eenvoudige oorzaak. Enkele basisstappen zijn vaak al genoeg om weer snel aan de slag te kunnen.

1.1a Basiscontroles

Als uw pc niet wil starten, is het probleem maar al te vaak dat hij niet juist is aangesloten.

Controleer de stroomkabels
Bij de meeste desktop-pc's dient u twee stroomkabels te controleren: eentje voor uw monitor en een tweede voor de pc zelf. Zorg ervoor dat beide correct zijn aangesloten. Controleer ook de stroomaansluitingen van andere apparatuur, zoals printers, scanners en externe harde schijven.

Tip
Om te controleren of uw pc stroom krijgt van het stopcontact, haalt u de stekker van de pc eruit en stopt u de stekker van een lamp erin. Als deze het doet wanneer u hem aanzet, is er in elk geval geen probleem met de stroomtoevoer.

Controleer de aan-uitschakelaars
Controleer of elk apparaat aan staat. Kijk of uw netvoeding werkt door de lamptest te gebruiken (zie Tip) en zorg ervoor dat elke component van uw computer ook aan staat. Soms hebben computers twee schakelaars: eentje aan de voorkant en eentje aan de achterkant (meestal in de buurt van de aansluiting voor de stroomkabel). Controleer ook of de aan-uitschakelaar van de monitor aan staat.

Controleer de voeding

Als uw pc nog steeds niet start, is het mogelijk dat de voedings-
eenheid in uw computer niet meer werkt. Deze moet dan worden
vervangen. Vraag indien mogelijk of een computerreparateur de voeding kan testen, zodat u zeker weet dat het daaraan ligt. Vervang de
defecte voeding.

1.1b Op zoek naar aanwijzingen

Als uw pc wel opstart, maar vervolgens een aantal ontbrekende scher-
men en foutmeldingen geeft of vastloopt, heeft hij waarschijnlijk een
hardwarematig configuratieprobleem. Een andere aanwijzing hiervoor
is dat uw pc een serie toontjes laat horen en weigert verder iets te
doen. Met enkele snelle controles kunt u dit oplossen:

1 **Sluit de monitor opnieuw aan.**
2 **Koppel het toetsenbord en de muis los en probeer de pc opnieuw te
starten.**
3 **Als u onlangs een upgrade heeft uitgevoerd, bijvoorbeeld een
geheugenmodule heeft toegevoegd, verwijder deze dan (zie pagina 23
voor advies over geheugen) en start opnieuw op.**
4 **Overige systeemfouten kunnen afkomstig zijn van niet-compatibele
randapparaten die moeten worden verwijderd of van loszittende aansluitingen. Controleer op verbogen pennetjes in kabels of losse bekabe-
ling.**

1.1c Hardwarereparatie

Als er geen lampjes gaan branden als u de aan-uitknop indrukt, er
geen opstartgeluiden uit uw machine komen en de voeding wel
werkt, gaat het om een hardwarestoring in de pc zelf. U moet uw pc
dan laten repareren door een expert.

1.2   Windows 7 start niet

Als uw computer is vastgelopen en Windows 7 weigert te starten
wanneer u hem weer aanzet, kan dit een groot probleem lijken. Veel
mensen installeren Windows 7 dan helemaal opnieuw, maar verliezen
daarbij wel hun gegevens. Als er echt niets anders op zit, is herinstalleren een optie. Zie pagina 193 voor advies over het herinstalleren
van Windows 7. Er zijn andere dingen die u kunt proberen voordat u
zo'n drastische stap neemt.

1.2a   Gebruik van het computerherstelprogramma

Windows 7 bevat een computerherstelprogramma dat veel van
de problemen kan oplossen die ervoor zorgen dat uw computer

Video-adapter

Een pc-onderdeel dat
gegevens van de compu-
ter naar het scherm stuurt
en dit weergeeft op het
beeld.

Externe harde schijf

Een opslagapparaat dat
op uw pc wordt aange-
sloten. Handig voor het
bewaren van kopieën van
belangrijke documenten
of het creëren van extra
opslagruimte.

Tip

Naast het gebruik van
het Systeemherstel-
hulpprogramma, kunt
u ook een systeem-
herstelschijf maken en
gebruiken. Deze kunt u
in een cd- of dvd-drive
plaatsen, of in een usb-
poort steken om Windows
te herstellen. Zie pagina
177 voor advies over deze
procedure.

Windows niet laadt of draait. Het computerherstelprogramma scant de computer op problemen die het opstarten verhinderen, en identificeert en repareert daarnaast ontbrekende of beschadigde Windows-systeembestanden.

1.2b   *Hoe start ik het computerherstelprogramma?*
Als Windows weigert te laden, wordt u waarschijnlijk geconfronteerd met een zwart scherm met witte tekst, en de keus uit verschillende opties.

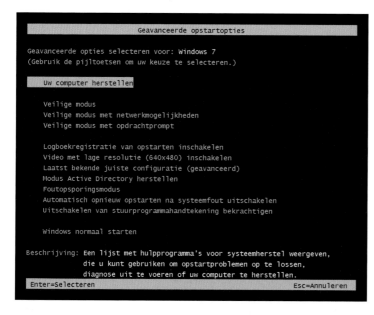

❶ **Verwijder alle schijven, zoals cd's of dvd's, uit uw computer.**
❷ **Zet de computer uit en daarna weer aan.**
❸ **Druk de F8-toets op het toetsenbord in en houd deze ingedrukt terwijl de computer opstart. Druk de F8-toets in voordat het Windows 7-logo verschijnt.**
❹ **Gebruik de pijltjestoetsen op het toetsenbord om de oplichtende balk te verplaatsen, zodat de optie Uw computer herstellen aangegeven staat.**
❺ **Druk op Enter.**

Nadat Windows enige tijd bezig is geweest met het laden van bestanden, verschijnt een blauw scherm met het kader *Opties voor Systeemherstel*. Kies hier een invoermethode voor het toetsenbord en klik op *Volgende*.

Usb

Usb *(Universal Serial Bus)* is een communicatietechnologie via een kabel waarmee u gegevens kunt overzetten tussen een computer en een apparaat, zoals een camera of printer. Usb-kabels worden in een usb-poort op uw computer gestoken.

1 **U moet op het volgende scherm inloggen als systeembeheerder (zie pagina 30). Daarna verschijnt het menu Opties voor Systeemherstel, met daarop de volgende keuzes.**

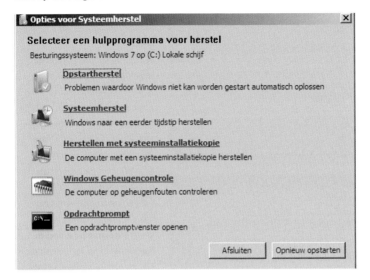

Optie systeemherstel	Beschrijving
Opstartherstel	Deze optie repareert bepaalde soorten problemen die voorkomen dat Windows 7 opstart. Ze kan een beperkt aantal problemen oplossen, zoals ontbrekende of beschadigde bestanden.
Systeemherstel	Door deze optie te kiezen, kunt u de klok terugdraaien op uw computer en de systeembestanden en instellingen van Windows terugzetten naar een eerder punt. Voor hulp en advies over systeemherstel, zie pagina 11. Het kiezen van deze optie heeft geen invloed op en verwijdert geen persoonlijke bestanden, zoals foto's, e-mails of documenten. U kunt een systeemherstel echter niet annuleren zodra deze optie gekozen is, aangezien het Windows zal terugzetten naar een vorige toestand. Na het herstel moet u alle laatste updates opnieuw installeren.
Herstel van systeeminstallatiekopie	Kies deze optie alleen wanneer u eerder een systeemkopie heeft gemaakt waar u toegang tot heeft. Zie pagina 193 voor advies over het maken van een systeemkopie. Dit is een gepersonaliseerde back-up van Windows die naast uw bestanden ook uw instellingen bevat.
Windows Geheugencontrole	Dit onderdeel onderzoekt uw computerhardware op geheugenproblemen. Voor meer hulp met geheugenproblemen, zie pagina 23.
Opdrachtprompt	Deze optie wordt eigenlijk alleen gebruikt door gevorderde gebruikers. Het biedt een ouderwets ogend scherm voor het draaien van diagnostische programma's en hulpprogramma's. Alleen voor experts.

1.2c Opstartherstel gebruiken

Zodra u alle opties begrijpt, doet u het volgende:

1 **Klik in het menu Opties voor Systeemherstel op Opstartherstel. Dit is waarschijnlijk de eerste optie in de lijst.**

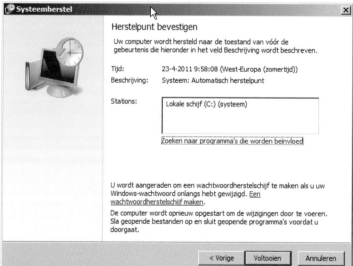

❷ **Opstartherstel zal een scan uitvoeren van de computer, en het duurt even voordat deze is afgerond. Wacht totdat de scan beëindigd is.**

❸ **Volg de opdrachten (prompts) op het scherm, zoals verzoeken om Windows naar een eerder punt te herstellen. Als u deze melding ziet, klikt u op Herstellen.**

❹ **Kies in het venster Systeemherstel de recentste hersteldatum, en klik vervolgens op Voltooien.**

❺ **Als Opstartherstel Windows niet hoefde te herstellen, zal het u melden dat het de problemen heeft opgelost en vervolgens uw computer herstarten. Alles hoort nu correct te worden geladen en Windows zou moeten laden en starten.**

❻ **Als Opstartherstel het probleem niet kan repareren, zal het dit ook melden, naast advies en links naar plaatsen waar u mogelijk extra hulp kunt vinden.**

Link

Afkorting van hyperlink. Een link kan zowel een tekst als een afbeelding zijn, waarmee u rechtstreeks naar een andere webpagina springt als u erop klikt.

1.3 Windows 7 wordt niet juist geïnstalleerd

Als u een upgrade doet naar Windows 7 vanaf een computer met bijvoorbeeld Windows Vista of als u Windows 7 installeert op een nieuwe computer, kunt u te maken krijgen met een reeks installatie- en activatieproblemen. Hieronder vindt u enkele van de meest gebruikelijke, samen met de oplossingen.

1.3a *Ik weet niet zeker of mijn computer Windows 7 kan draaien*
Om te controleren of uw computer geschikt is voor het draaien van Windows 7 kunt u de Windows 7 Upgrade Advisor van Microsoft gebruiken.

1 Start de webbrowser en ga naar http://windows.microsoft.com/nl-NL/windows/downloads/upgrade-advisor. **Klik op Upgrade Advisor downloaden en in het volgende scherm op Downloaden.**

2 Start het gedownloade bestand door er dubbel op te klikken. Na het installeren staat er een icoon van Windows 7 Upgrade Advisor op uw bureaublad. Dubbelklik erop om het programma te starten. Volg de stappen en start de controle.

3 Na enkele minuten komt het programma met een oordeel over uw systeem. U ziet welke computeronderdelen (zoals processor, RAM-geheugen, schijfruimte) en software geschikt zijn voor de upgrade en welke niet.

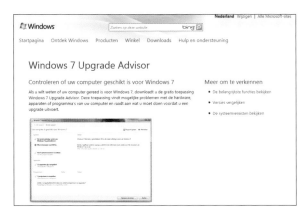

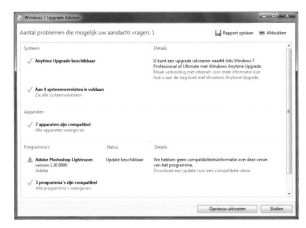

1.3b Ik installeer Windows 7, maar het proces blijft steken op 62%

Als u een upgrade naar Windows 7 uitvoert vanaf Windows Vista, kan het gebeuren dat de installatie stopt op 62% van de voortgangsbalk. Het probleem is een Windows-service die tijdens de installatie ophoudt te werken.

1 Stop de installatie en klik in Windows Vista op de **Startknop** en dan op **Internet Explorer**.

2 Typ http://go.microsoft.com/?linkid=9693817 in de adresbalk van de browser. Hiermee downloadt u een oplossing voor dit probleem.

3 Sla het programma op en start het. Volg nu de keuzehulp (wizard) om het probleem op te lossen.

Startknop

Een rond pictogram met daarin het Windows-logo, te vinden in de linkeronderhoek van uw scherm. Het geeft toegang tot veel functies en programma's.

Besturingssysteem

De software die uw computer bestuurt, alsmede de omgeving waarin programma's hun werk doen.

4 Start nogmaals de installatie van Windows 7.

Configuratiescherm

Een serie programma's voor het aanpassen van de computerinstellingen, zoals wachtwoorden, internettoegang en toegankelijkheid.

1.3c *Mijn computer blijft zichzelf eindeloos opstarten tijdens het installeren van Windows 7*

Als u een upgrade doet vanaf Vista, is dit een vrij gebruikelijk Windows 7-installatieprobleem. Na de installatie zult u een foutmelding zien die aangeeft dat Windows 7 niet kon worden geïnstalleerd en dat Vista is hersteld. De computer zal opnieuw opstarten en een poging doen het upgradeproces nogmaals te starten. Dit leidt tot dezelfde foutmelding en resulteert in een eindeloze lus van opstartpogingen. Volg de volgende stappen om dit te verhelpen.

1 Selecteer Vista in het opstartmenu tijdens het opstarten. Plaats uw Vista-installatieschijf in de cd- of dvd-drive.

2 Sluit de installatie wanneer het Vista-installatiemenu verschijnt.

3 Klik op Start en klik dan op Alle Programma's, en vervolgens op Bureau-accessoires.

4 Rechtsklik op Opdrachtprompt, en kies vervolgens in het pop-upmenu Als administrator uitvoeren.

5 Typ 'D:\boot\Bootsect.exe /NT60 All' – waarbij u de letter D vervangt door de driveletter van de cd- of dvd-drive waarin zich de Vista-installatieschijf bevindt.

6 Herstart de computer en begin nogmaals met de installatie van Windows 7.

Wizard

Een keuzehulp die u door een reeks stappen op het scherm leidt en u helpt (een deel van) Windows in te stellen of te wijzigen.

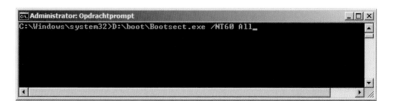

1.3d Ik krijg de foutmelding 'Ongeldige productcode'

Wanneer u Windows 7 installeert, moet u een productcode invoeren. Hiermee bevestigt u dat het om een legitieme versie gaat. Als u deze melding krijgt, kan dit een van de volgende redenen hebben.

Mogelijk probleem U heeft de productcode verkeerd ingetypt. Oplossing Probeer de productcode nogmaals in te typen wanneer hierom wordt gevraagd, waarbij u extra goed oplet tijdens het invoeren van de tekens.

Mogelijk probleem De productcode komt niet overeen met de versie van Windows 7 die op de computer is geïnstalleerd. Oplossing Controleer of de productcode die u gebruikt, bestemd is voor de op de computer geïnstalleerde versie van Windows 7.

Mogelijk probleem U gebruikt een productcode voor een upgradeversie van Windows 7, maar er stond geen voorgaande versie van Windows (zoals Vista) op uw computer toen Windows 7 werd geïnstalleerd. Oplossing Om een upgradeversie van Windows 7 te installeren, moet Windows Vista of Windows xp al op de computer geïnstalleerd staan. Als u de harde schijf heeft geformatteerd tijdens de installatie van Windows 7, zal de productcode niet werken. U dient de vorige versie van Windows opnieuw te installeren, en vervolgens Windows 7 nogmaals te installeren.

Driveletter

Elke drive op uw computer, zoals de harde schijf en de cd-drive, heeft een eigen letter toegewezen gekregen die u helpt de drive te herkennen. Zo heeft uw interne harde schijf de letter C toegewezen gekregen, terwijl dvd- en cd-drives de letters D en E hebben gekregen.

Processor (cpu)

De belangrijkste computerchip die de functies van een computer bestuurt en rekentaken uitvoert. Hoe sneller de processor, des te meer een computer kan doen in dezelfde tijd.

Windows activeren

Geef de productcode op

U vindt de productcode van Windows 7 Ultimate op het hoesje van de installatieschijf in het Windows-pakket. Als u Windows activeert, registreert u de productcode voor deze computer.

De productcode ziet er als volgt uit:

PRODUCTCODE: XXXXX-XXXXX-XXXXX-XXXXX-XXXXX

Waar vind ik de productcode van Windows?

Productcode: |

❌ Ongeldige productcode
Controleer de productcode en probeer het opnieuw.

Wat is activering?
Lees de onlineprivacyverklaring

Volgende   Annuleren

1.3e *Ik kan Windows 7 nog steeds niet activeren*

Als u de instructies heeft gevolgd om de ongeldige productcode te omzeilen, maar Windows 7 nog steeds niet kunt activeren, doet u het volgende:

① Laat het vak leeg en klik op Volgende. Hiermee installeert u Windows 7, dat 30 dagen zal draaien voordat het geactiveerd moet worden.
② Klik in Windows 7 op de Startknop, klik dan rechts op Computer en selecteer Eigenschappen.

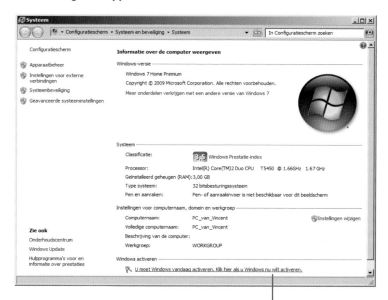

③ Kies Windows nu activeren. Dit zou verschillende opties moeten tonen voor het activeren van Windows 7,
als u Windows nu wilt activeren.

inclusief een telefonische. Bel het gegeven nummer en volg de instructies. U krijgt een medewerker van Microsoft Support aan de lijn, die u helpt Windows 7 te activeren.

1.4 Schermproblemen

Soms komt het voor dat u geen beeld op uw scherm krijgt of dat het beeld te klein of te groot lijkt.

1.4a *Controleer uw stuurprogramma's*

De meeste schermproblemen worden niet veroorzaakt door het scherm zelf, maar door de videoadapter van de computer. De video-adapter bestuurt wat er op het scherm wordt getoond. De meeste

schermproblemen worden veroorzaakt door ontbrekende of beschadigde videokaartstuurprogramma's.

① **Klik op de Startknop en dan op Configuratiescherm.**

② **Klik in het configuratiescherm op
Vormgeving en persoonlijke instellingen.
Kies Beeldscherm en klik dan in het linker-
paneel op Beeldscherminstellingen wijzi-
gen. Klik in het scherm dat nu verschijnt op
Geavanceerde instellingen.**

③ **Klik in het tabblad Adapter op de knop
Eigenschappen.**

④ **Klik in het tabblad Stuurprogramma
op Details om informatie te krijgen
over het stuurprogramma of klik
op Bijwerken... om het stuurprogramma bij te werken door de aanwijzingen
op het scherm te volgen. Zie pagina 185
voor meer details over het installeren van
nieuwe stuurprogramma's.**

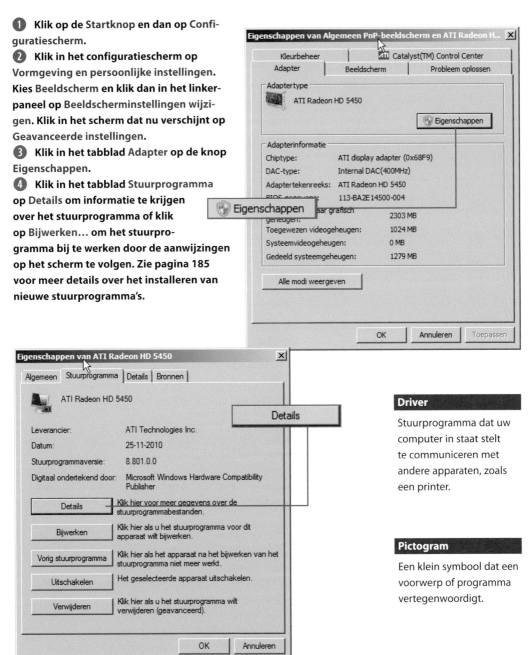

Driver

Stuurprogramma dat uw
computer in staat stelt
te communiceren met
andere apparaten, zoals
een printer.

Pictogram

Een klein symbool dat een
voorwerp of programma
vertegenwoordigt.

1.4b Het beeld op mijn scherm ziet er te groot of te klein uit

De beelden die op het scherm worden getoond, worden bepaald door de schermresolutie. Op hoge resoluties – zoals 1600x1200 pixels – zien beelden er scherp uit, maar zijn pictogrammen erg klein. Op lagere resoluties zijn pictogrammen groter, waardoor er minder onderdelen op het scherm passen.

Als uw monitor op de verkeerde resolutie staat ingesteld, kan het scherm te groot, te klein of wazig overkomen. Of er verschijnt helemaal geen beeld. Zo verandert u de schermresolutie:

❶ Klik op de Startknop en dan op Configuratiescherm. Klik bij Vormgeving en persoonlijke instellingen op Beeldschermresolutie aanpassen.

❷ Klik op de pop-uplijst naast Resolutie, kies de resolutie voor uw scherm

(de mogelijkheden staan aangegeven in de handleiding van uw monitor), en klik vervolgens op Toepassen.

❸ Als u tevreden bent met de nieuwe resolutie, klikt u op Wijzigingen behouden. Het alternatief is dat u op Herstellen klikt om terug te keren naar de vorige resolutie.

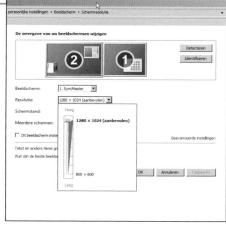

Tip

Om de beste kleuren uit uw monitor te krijgen, moet deze zijn ingesteld op *Ware kleuren* (32-bits). Dit doet u in *Configuratiescherm/ Vormgeving en persoonlijke instellingen*, onder *Beeldscherm* en dan *Beeldschermresolutie aanpassen*. Klik op *Geavanceerde instellingen* en dan bij tabblad *Adapter* op *Alle modi weergeven*.

1.4c Ik heb mijn resolutie gewijzigd, maar nu zie ik helemaal niets

Als u per ongeluk een resolutie heeft gekozen die niet wordt ondersteund door uw monitor, kan het scherm mogelijk helemaal geen beeld laten zien. Zo lost u deze situatie op:

❶ Herstart uw computer in Veilige modus (zie pagina 28).
❷ Volg de stappen voor het wijzigen van uw schermresolutie in par. 1.4b.
❸ Herstart uw computer.

1.5   Geluidsproblemen

Als uw pc en monitor goed werken, maar de computer audio niet (correct) afspeelt, zijn er diverse stappen waarmee u het probleem kunt verhelpen.

1.5a   Het geluid op mijn computer werkt niet

Controleer eerst of het geluidsvolume van de pc wel hoog genoeg staat: klik op het luidsprekerpictogram in de taakbalk onder in het scherm. Klik als u dit pictogram niet kunt zien op *Configuratiescherm*, *Hardware en geluiden*. Klik hierna op *Systeemvolume aanpassen* en stel het volume in.
Controleer uw luidsprekers als u zeker weet dat het volume hoog genoeg staat. Als u surroundsoundspeakers gebruikt, kunnen de aansluitingen vrij lastig zijn. Zie de bijbehorende gebruiksaanwijzing om ervoor te zorgen dat alles correct is aangesloten.

1.5b   Gebruik de Probleemoplosser Audio Afspelen

U kunt de Probleemoplosser Audio Afspelen in Windows 7 gebruiken om te proberen het probleem op te lossen. Deze controleert op veelvoorkomende problemen met geluidskaart, luidsprekers, volumeinstellingen of koptelefoon.

1 **Klik op de Startknop en dan op Configuratiescherm. Typ in het zoekvak van het configuratiescherm 'probleemoplossing' en klik dan op de gevonden optie Probleemoplossing.**
2 **Klik onder Hardware en geluiden op Problemen met het afspelen van audio oplossen. Volg de instructies om mogelijke problemen te identificeren en op te lossen. Voer hier uw administratorwachtwoord of bevestiging in als dit wordt gevraagd.**

1.5c   Repareren audiostuurprogramma's

Om te controleren of uw computer een geluidskaart of geluidsprocessor heeft die ook correct werkt, logt u in als administrator (zie pagina 30) en volgt u onderstaande stappen.

Taakbalk

De balk aan de onderzijde van uw scherm, van waaruit u programma's kunt starten en toegang heeft tot de belangrijkste Windows-functies.

Tip

Als u de luidsprekerknop (🔊) niet ziet in uw taakbalk, detecteert Windows geen luidsprekers die op uw computer zijn aangesloten.

① Klik op de Startknop en dan op Configuratiescherm. Klik in het configuratiescherm op Systeem en beveiliging en klik daarna onder Systeem op Apparaatbeheer. Eventueel dient u hier uw administratorwachtwoord in te voeren.

② Klap de categorie Besturing voor geluid, video en spelletjes uit door erop te dubbelklikken. Als er een geluidskaart wordt vermeld, is er eentje geïnstalleerd. Zo niet, raadpleeg uw computerhandleiding om te zien of er een aanwezig behoort te zijn. Zo ja, dan moet u er een installeren. Als er een geel vraagteken naast de naam van de geluidskaart in Apparaatbeheer staat, kan dit wijzen op een probleem.

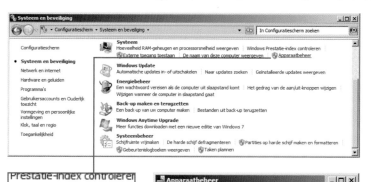

③ Klik met de rechtermuisknop op de naam van de geluidskaart en selecteer Eigenschappen in het popupmenu.

④ Klik in het venster Eigenschappen dat verschijnt op het tabblad

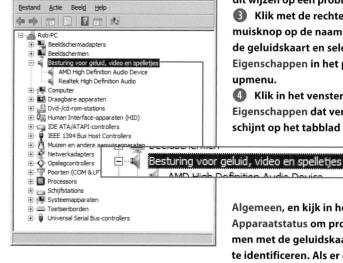

Algemeen, en kijk in het vak Apparaatstatus om problemen met de geluidskaart te identificeren. Als er een probleem is, heeft de geluidskaart mogelijk een nieuw stuurprogramma nodig. Zie pagina 185 voor het bijwerken en installeren van stuurprogramma's.

1.5d Andere dingen die u kunt proberen

Overige apparaten Als uw pc een geluidskaart heeft, maar deze niet in de hierboven aangegeven lijst staat, dubbelklikt u op de categorie *Overige apparaten* en controleert u of hij daarbij staat.

Laptopalarm Laptops gebruiken geïntegreerde geluidsprocessoren – deze staan in dezelfde categorie onder *Apparaatbeheer*.

Fysieke volumecontrole Sommige computers hebben een fysieke externe volumecontrole, zoals een schuif. Let erop dat deze niet helemaal omlaag staat.

Muziekweergave Gebrek aan audio kan een softwarematig probleem zijn of een probleem met uw luidsprekers. Doorloop de stappen in par. 8.2 om te zien of die uw problemen kunnen oplossen.

1.6 Geheugenproblemen

Sommige problemen kunnen worden veroorzaakt doordat uw computer niet voldoende geheugen heeft om alle gewenste acties uit te voeren. Dit kan ervoor zorgen dat zowel Windows als losse programma's niet meer werken.

1.6a *Aanwijzingen voor geheugenproblemen*
Als uw computer te weinig geheugen heeft, presteert hij slecht. U krijgt problemen met het beeld en ziet meldingen over een geheugentekort. Een symptoom van te weinig geheugen is bijvoorbeeld dat er na het sluiten van een menuonderdeel binnen een programma tijdelijk een blanco gedeelte zichtbaar blijft op het scherm.

Tip

De snelste manier om het volume van uw computerluidsprekers te wijzigen is door te klikken op de knop *Luidsprekers* in de taakbalk, en vervolgens de schuifjes omhoog of omlaag te bewegen om het volume van de luidsprekers te verhogen of te verlagen.

1.6b Programma's voor geheugenproblemen

Sommige programma's gebruiken erg veel geheugen. Dat kan ervoor
zorgen dat uw computer te weinig geheugen overhoudt voor het
uitvoeren van andere taken. In slechts enkele stappen komt u erachter welke programma's te gulzig zijn met het geheugen, dankzij het
hulpprogramma *Taakbeheer*. Zo controleert u welk programma het
meeste geheugen gebruikt:

❶ **Rechtsklik met de muis
op de Taakbalk en kies
Taakbeheer starten via het
pop-upmenu. Klik op het
tabblad Processen. Sorteer
programma's op de hoe-
veelheid geheugen die ze
gebruiken door te klikken
op Geheugen (privéwerk-
set).**

❷ **Als een programma
heel veel geheugen
gebruikt, kunt u dit afsluiten of de website van het
programma controleren op
een update of *patch* (repara-
tieprogramma) die het over-
matige geheugengebruik
oplost. Let op: sluit geen
programma's die met Win-
dows te maken hebben of
die u niet meteen herkent.
Zoek daarover eerst informatie via een zoekmachine.**

1.6c Virtueel geheugen vergroten

RAM

RAM *(Random Access
Memory)* is het korte-
termijngeheugen van de
computer en bevat alle
draaiende programma's.

Als u niet voldoende RAM op uw computer heeft, gebruikt Windows
virtueel geheugen – ruimte op de harde schijf van uw computer – als
tijdelijk geheugen. Dit is een stuk langzamer dan echte RAM. Windows
zal de grootte van het virtuele geheugen automatisch aanpassen
zodra het geheugen te laag wordt, maar u kunt de maximale grootte
ervan ook handmatig aanpassen.

1 Klik op de Startknop,
rechtsklik op Computer en
kies Eigenschappen in het
pop-upmenu. Klik in het
systeemscherm op Geavan-
ceerde systeeminstellingen.
Eventueel dient u hier uw
administratorwachtwoord
in te voeren.

2 Klik in het tabblad
Geavanceerd op Instel-
lingen. Klik nogmaals op
het tabblad Geavanceerd
en klik dan onder Virtueel
Geheugen op Wijzigen....

3 Haal het vinkje weg
naast Wisselbestandsgrootte
voor alle stations automatisch beheren. Klik met de
muis op de drive (zoals de
C-schijf) die het virtueel
geheugen bevat – oftewel
het wisselbestand – dat u
wilt wijzigen.

4 Klik op Aangepaste
grootte en voer een nieuwe
grootte in MB's in, ofwel bij
Begingrootte (MB) ofwel bij
Maximale grootte (MB). Klik
zodra u klaar bent op Instellen en op OK.

1.7   Opstartconflicten oplossen

Als uw computer opstartproblemen heeft, crasht of langzaam werkt, kan dit te wijten zijn aan een opstartconflict. Een opstartconflict wordt veroorzaakt doordat veel programma's zo zijn ontworpen dat ze automatisch met Windows mee opstarten. Ze draaien vaak op de achtergrond, dus het is lastig te zien welke opstartprogramma's actief zijn. Ze kunnen niet alleen veel geheugen gebruiken en Windows trager maken, maar ook leiden ze tot crashes tijdens het opstarten.

Tip

Gebruik geen ssd voor wisselbestanden. De vele schrijfacties die dit met zich meebrengt zal de levensduur van de schijf verkorten.

1.7a   *Welke programma's draaien er tijdens het opstarten?*

Een snelle manier om erachter te komen welke programma's automatisch draaien tijdens het opstarten, is door te kijken naar de taakbalk onder in uw scherm. Opstartprogramma's voegen hieraan vaak een pictogram toe.

① Wijs met de muis op elk programma in het meldingsgebied. Klik op de knop Toon verborgen pictogrammen om eventuele verborgen pictogrammen te onthullen, zodat u er geen mist. Let op: deze knop is alleen zichtbaar als er daadwerkelijk verborgen pictogrammen zijn!

1.7b   *Omgaan met opstartproblemen*

Wanneer u vermoedt dat een opstartprogramma een probleem veroorzaakt, volgt u deze stappen:

① Herstart uw computer in de Veilige modus (zie pagina 28) – hiermee start u de computer op zonder opstartprogramma's. Als hij nu goed opstart en het probleem lijkt te zijn opgelost, kan dit duiden op een probleem met (een van) uw opstartprogramma's.

② Klik met de muis op de Startknop en dan op Configuratiescherm. Klik in dit venster op Systeembeheer.
③ Dubbelklik op Systeemconfiguratie. Hiermee regelt u diverse

elementen van de Windows-
configuratie, inclusief de
programma's die tijdens
het opstarten worden geladen. Er kan u in dit stadium
worden gevraagd om het
administratorwachtwoord
of om een bevestiging door
Gebruikersaccountcontrole
(zie pagina 57).

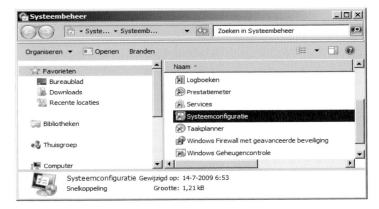

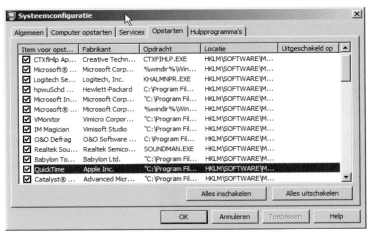

④ Klik op het tabblad Opstarten. Om te voorkomen dat een programma start, selecteert u een opstartprogramma in de lijst en haalt u het
vinkje erbij weg. Controleer de rest van de lijst, en haal de vinkjes weg bij
alle programma's waarvan u niet wilt dat ze automatisch starten wanneer
u Windows start. Klik op Toepassen en dan op OK.
⑤ Herstart Windows. Wanneer het probleem is opgelost, werd het problematische opstartprogramma blijkbaar geïdentificeerd en uitgeschakeld.

Wanneer het probleem blijft voortduren, moet u verder gaan met het
uitschakelen van verschillende opstartprogramma's, net zolang tot
u de boosdoener heeft gevonden. Is het problematische opstartprogramma uitgeschakeld, dan kunt u via het tabblad *Opstarten* andere
programma's weer activeren door ze in de lijst te selecteren en aan te
vinken.

1.8   Starten in Veilige modus

In de Veilige modus start Windows met een beperkte set bestanden
en stuurprogramma's, en er worden geen opstartprogramma's geladen. Deze Veilige modus is handig voor het oplossen van problemen
met software en stuurprogramma's die verhinderen dat Windows
correct start. Wanneer een probleem niet de kop opsteekt als u in
de Veilige modus start, weet u in elk geval dat de oorzaak niet ligt in
standaardinstellingen en stuurprogramma's voor apparatuur. Als een
recent geïnstalleerd programma, apparaat of stuurprogramma ver-
hindert dat Windows correct werkt, kunt u uw computer in de Veilige
modus starten en vervolgens het programma dat het probleem veroorzaakt verwijderen.

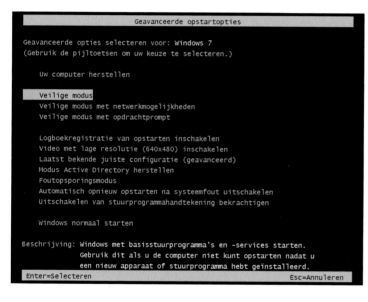

❶ Verwijder alle cd's,
usb-sticks en dvd's uit uw
computer, en herstart hem.
Klik op de Startknop, vervolgens op de pijl naast de
Afsluiten-knop en dan op
Opnieuw opstarten.

❷ Druk de F8-toets op
uw toetsenbord in en houd
deze ingedrukt terwijl uw
pc opnieuw opstart – deze
knop moet ingedrukt zijn
voordat het Windows-logo
op het scherm verschijnt.
Als u te laat bent, start u de
pc opnieuw op en herhaalt u
de bovenstaande procedure.

❸ Het scherm Geavan-
ceerde opstartopties verschijnt nu. Gebruik de pijltjestoetsen op het
toetsenbord om de Veilige modus te kiezen en druk op Enter.

❹ Log in op uw computer met een administratoraccount (zie pagina 30).

Als alles nu goed start, kunt u het probleemprogramma verwijderen
(zoals een onlangs geïnstalleerd programma). Om te voorkomen dat
er opnieuw opstartproblemen optreden, kunt u recent toegevoegde
opstartprogramma's uitschakelen of recente stuurprogramma's verwijderen.

Wanneer uw computer in de Veilige modus draait, ziet u de woorden
Veilige modus in de hoek van uw scherm. Om de Veilige modus te ver-
laten, herstart u de computer en laat u Windows normaal starten.

2 WINDOWS 7-PROBLEMEN

Door alle stappen in dit hoofdstuk
te lezen en te volgen, leert u:

- Windows 7-problemen en veelvoorkomende fouten op te lossen
- functies te vinden en te gebruiken na
  een upgrade naar Windows 7
- uw pc toegankelijk te maken, oudere programma's
  te draaien en programma's te verwijderen

2.1   Admin en accounts

Wanneer u inlogt op uw computer, doet u dat met een gebruikersaccount. Een gebruikersaccount vertelt Windows welke wijzigingen u
mag aanbrengen op de computer, tot welke mappen en bestanden
u toegang heeft en welke voorkeuren u gebruikt, zoals een bepaalde
schermbeveiliging. Als meerdere mensen toegang hebben tot dezelfde computer, is het gebruikelijk dat elke persoon zijn of haar eigen
gebruikersaccount heeft.

Elke account heeft een naam, type en vaak een wachtwoord. Veel
Windows-problemen kunnen worden veroorzaakt door gebruikersaccounts en soms vereist Windows dat u inlogt met een administratoraccount. Daarom loont het de moeite eens beter te kijken naar de verschillende soorten accounts.

Administratoraccount
Gebruik deze wanneer u iets belangrijks moet aanpassen in Windows
– bij veel pc-problemen in dit boek moet u inloggen met de administratoraccount om het probleem op te lossen.

Standaardaccount
Deze wordt gebruikt voor het dagelijkse computergebruik en kan bijvoorbeeld worden verstrekt aan gezinsleden.

Gastaccount
Gebruikt door iemand die tijdelijk toegang nodig heeft tot uw computer.

2.1a   *Het juiste accounttype kiezen*
Wanneer u de computer voor het eerst instelt, wordt u gevraagd
een administratoraccount te creëren. Zodra dit is gebeurd, is het ver-

standig ook een standaardaccount in te stellen voor het dagelijkse computergebruik. Log daarnaast via de administratoraccount in op uw computer om eventuele problemen op te lossen. Het Windows 7-inlogscherm toont de beschikbare accounts, inclusief hun type.

2.1b Hoe schakel ik naar de administrator-account?

Door gebruik te maken van *Snelle gebruikerswis-seling* is het mogelijk snel tussen accounts te schakelen zonder uit te hoeven loggen, bijvoor-beeld van standaard- naar administratoraccount:

1 **Klik op de Startknop en op de pijl rechts van de Afsluiten-knop. Kies nu Andere gebruiker.**
2 **Kies de gewenste account uit de lijst en log in met uw wachtwoord.**

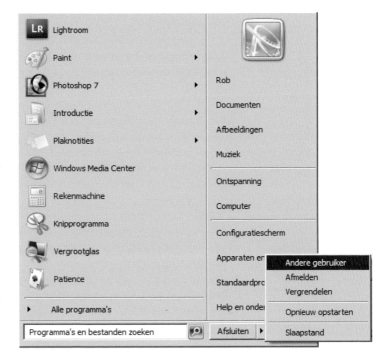

2.1c Oplossingen voor veelvoorkomende gebruikersaccount-problemen

Wanneer ik probeer in te loggen, krijg ik een foutmelding die zegt dat de gebruikersnaam of het wachtwoord niet juist is
Er zijn verschillende redenen waarom u deze foutmelding krijgt:

U heeft uw wachtwoord verkeerd getypt
Probeer het wachtwoord nogmaals te typen. Als u uw wachtwoord bent vergeten, zult u dit moeten resetten. Zie pagina 32 voor het resetten van uw wachtwoord.

Uw CapsLock staat aan
Controleer uw toetsenbord om te zien of uw CapsLock-toets aan staat. Gebruikersaccountwachtwoorden van Windows zijn hoofdlet-tergevoelig. Dat betekent dat u hoofd- of kleine letters op dezelfde manier moet gebruiken als bij het creëren van uw wachtwoord. Zorg ervoor dat CapsLock uit staat en voer het wachtwoord nogmaals in.

Inloggen op verkeerde account

Als u meerdere accounts op uw computer heeft, kan het zijn dat u per ongeluk probeert in te loggen op de verkeerde account. Zorg ervoor dat u met het juiste wachtwoord inlogt op de juiste account.

Uw wachtwoord kan gewijzigd zijn

Als u een standaardaccount gebruikt, kan iemand de administrator-account hebben gebruikt om het wachtwoord voor uw account te resetten. Informeer hiernaar bij de houder van de administrator-account.

Pas op

Als u het wachtwoord verliest van uw admi-nistratoraccount en u heeft geen wachtwoord-herstelschijf of andere administratoraccount, zult u Windows opnieuw moeten installeren.

Ik heb een vingerafdruklezer op mijn computer, maar die doet het niet
Hoewel een vingerafdruklezer een hoog beveiligingsniveau biedt, wordt het lastig inloggen op de computer als dit apparaat niet meer werkt. Probeer het stuurprogramma bij te werken – zie pagina 185 voor advies over het bijwerken en installeren van stuurprogramma's.

Ik heb te veel gebruikersaccounts: hoe kan ik er eentje verwijderen?
Als u te veel gebruikersaccounts heeft aangemaakt of er eentje wilt verwijderen omdat u hem niet langer nodig heeft, volgt u de vol-gende stappen. Bedenk dat wanneer u een gebruikersaccount verwij-dert, u de optie krijgt om alle met die account gemaakte bestanden te bewaren. E-mails en andere Windows-instellingen die met deze account verband houden, worden wel gewist.

① **Log in op de computer via de administratoraccount. Klik op de** Startknop **en dan op** Configuratiescherm. **Klik in dit scherm op** Gebruikersaccounts en Ouderlijk toezicht **en dan op** Gebruikersaccounts toevoegen of verwijderen. **Er kan u nu wor-den gevraagd om uw adminis-tratorwachtwoord nogmaals in te voeren.**

② **Klik op de account dat u wilt verwij-deren en vervolgens op** De account verwij-deren. **Kies ervoor de bestanden van deze account te behouden door te klikken op** Bestanden bewaren **of laat ze verwijderen door te klikken op** Bestanden verwijderen.

③ **Klik op** Account verwijderen.

2.1d   *Help! Ik ben mijn wachtwoord vergeten*

Als u uw inlogwachtwoord bent vergeten, kunt u verschillende oplossingen proberen.

Gebruik een wachtwoordherstelschijf

Plaats uw wachtwoordherstelschijf in uw computer (zie de volgende pagina om te zien hoe u een wachtwoordherstelschijf maakt), en volg deze stappen:

1 Klik op ok **bij de melding dat u het verkeerde wachtwoord heeft ingevoerd tijdens het inloggen. Hiermee sluit u de melding.**

2 Klik op Reset wachtwoord **en plaats dan de cd, dvd of usb-stick die dient als uw wachtwoordherstelschijf in de computer.**

3 Volg de instructies op het scherm om het oude wachtwoord te vervangen door een nieuw.

4 Log in met uw nieuwe wachtwoord. Als u dit wachtwoord vergeet, kunt u dezelfde wachtwoordherstelschijf nogmaals gebruiken – u hoeft geen nieuwe te maken.

Het alternatief bij het vergeten van uw wachtwoord voor een standaardgebruikersaccount is inloggen op uw computer met uw administratoraccount en het wachtwoord te resetten voor de standaardgebruikersaccount.

1 Log in op de computer via de administratoraccount. Klik op de Startknop **en dan op** Configuratiescherm**. Klik in dit scherm op** Gebruikersaccounts en Ouderlijk toezicht **en dan op** Gebruikersaccounts**. Er kan u nu worden gevraagd om uw administratorwachtwoord nogmaals in te voeren.**

2 Klik op de link Een ander account beheren en klik in het volgende scherm op de gebruikersaccountnaam met het vergeten wachtwoord. Klik in het volgende scherm op Het wachtwoord wijzigen.

3 Typ het nieuwe wachtwoord, bevestig dit en klik op OK.

2.1e   Hoe maak ik een wachtwoordherstelschijf?

Als u nog geen wachtwoordherstelschijf heeft gemaakt, moet u dat zo snel mogelijk doen.

1 Plaats een lege disk die u wilt gebruiken als wachtwoordherstelschijf in uw computer – dit kan behalve een beschrijfbare cd of dvd ook een usb-stick zijn.

2 Klik op de Startknop en dan op Configuratiescherm. Klik vervolgens op Gebruikersaccounts en Ouderlijk toezicht en op Gebruikersaccounts.

3 Klik op Een wachtwoordherstelschijf maken in het paneel links en volg de instructies op het scherm. Bewaar de gemaakte schijf op een veilige plaats.

2.2 Problemen na de upgrade naar Windows 7

Een upgrade naar Windows 7 kan een spannende ervaring zijn, vooral omdat elementen als de taakbalk of de Prullenbak verdwenen of ver- plaatst lijken te zijn, en sommige functies niet meer precies zo werken als voorheen. Wij geven u een handleiding voor het vinden en gebrui- ken van gangbare Windows-elementen die tijdens de overstap naar Windows 7 lijken verloren te zijn gegaan.

2.2a Help! Ik kan de Prullenbak niet vinden

De Prullenbak staat normaal gesproken op het bureaublad van uw computer, maar Windows 7 kan deze ook verstoppen. Om de Prullenbak op het bureaublad weer te geven of juist te verbergen, doet u dit:

1. **Klik op de** Startknop **en typ in het zoekvak 'bureaubladpictogram'. Klik in de lijst met resultaten op de optie** Normale bureaubladpictogrammen weergeven of verbergen**.**

2. **Vink in het venster** Instellingen voor bureaubladpictogrammen **dat nu ver- schijnt de** Prullenbak **aan om deze weer te geven op het bureaublad. Als u de** Prullenbak **juist wilt verbergen, haalt u het vinkje hier weg. Klik op** OK**.**

Configuratiescherm (1)

Normale bureaubladpictogrammen weergeven of verbergen

Microsoft Outlook (6)

RE: translations 2010-NL-11

Innovations_text.xls (RE: translations 2010-NL-11)

RE: ASUS Shop Campaign Translation

P52F_NL.doc (RE: ASUS Shop Campaign Translation)

tekst boek Schoonmaken PC

Hele boek.doc (tekst boek Schoonmaken PC)

Meer resultaten weergeven

bladpictogram | Afsluiten

Instellingen voor bureaubladpictogrammen

Bureaubladpictogrammen

Bureaubladpictogrammen
☑ Computer   ☑ Prullenbak
☐ Bestanden van gebruiker   ☑ Configuratiescherm
☑ Netwerk

Computer   Rene   Netwerk

Prullenbak (vol)   Prullenbak (leeg)

Ander pictogram...   Standaardwaarden herstellen

☑ Thema's toestaan bureaubladpictogrammen te wijzigen

OK   Annuleren   Toepassen

2.2b Help! Ik kan de taakbalk niet vinden

De taakbalk bevindt zich normaal gesproken onder in het bureau-blad, maar kan verborgen zijn. Er zijn verschillende redenen waarom u hem niet kunt zien.

De taakbalk was niet vergrendeld en het formaat werd gewijzigd
Hierdoor is hij lastig te zien, zelfs als u de cursor erboven plaatst. Wijs met de muis naar de plek waar de taakbalk normaal hoort te staan, onder in het scherm. De cursor zou nu moeten veranderen in een dubbel-zijdige pijl. Klik en sleep de rand van de taakbalk naar het midden van het bureaublad totdat de taakbalk verschijnt. Rechtsklik op de taakbalk en kies *Taakbalk vergrendelen* om ervoor te zorgen dat deze niet kan worden verborgen.

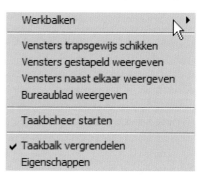

Automatisch verbergen staat ingeschakeld
Dit betekent dat de taakbalk verborgen blijft totdat u de cursor onder in het scherm op de rand van de taakbalk plaatst. Probeer, als dat niet werkt, de cursor te positioneren aan de linker-, rechter- en bovenrand van het bureau-blad, tot de taakbalk weer verschijnt. Zo schakelt u *Automatisch verbergen* uit:

❶ **Rechtsklik op de** Taakbalk. **Kies in het pop-upmenu** Eigenschappen.
❷ **Haal het vinkje weg bij** Taakbalk automatisch verbergen. **Klik op** ok.

U heeft meer dan één monitor
De taakbalk zal slechts verschijnen op een van de monitoren. Controleer ze allebei om te zien op welke monitor de taakbalk is weergegeven.

2.2c Help! Ik kan geen bureaubladpictogrammen toevoegen of verwijderen

Bureaubladpictogrammen zijn meestal snelkoppelingen naar programma's, maar kunnen ook echte mappen of bestanden zijn. Afhankelijk van het pictogram kunnen er verschillende dingen gebeuren wanneer u ze verwijdert van het bureaublad.

Het verwijderde pictogram is een snelkoppeling
De snelkoppeling naar het programma wordt verwijderd, maar het programma zelf blijft gewoon aanwezig.

Het verwijderde pictogram is een bestand of map
Het bestand of de map zal worden verplaatst naar de Prullenbak.

U kunt bureaubladpictogrammen toevoegen of verwijderen voor onder andere programma's, bestanden, foto's en locaties.

Hoe voeg ik een nieuw bureaubladpictogram toe?

1 **Zoek het programma, de map, het bestand enzovoort waarvoor u een snelkoppeling wilt maken op uw bureaublad.**
2 **Rechtsklik op het item en klik op** Kopiëren naar**. Klik vervolgens op** Bureaublad (snelkoppeling maken)**. De snelkoppeling verschijnt op uw bureaublad.**

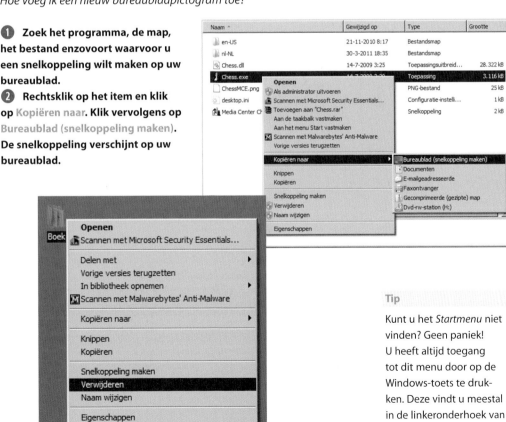

Tip

Kunt u het *Startmenu* niet vinden? Geen paniek! U heeft altijd toegang tot dit menu door op de Windows-toets te drukken. Deze vindt u meestal in de linkeronderhoek van het toetsenbord.

Hoe kan ik een pictogram van het bureaublad verwijderen?
1 **Zoek het pictogram op het bureaublad.**
2 **Rechtsklik op het pictogram en klik dan op** Verwijderen **in het pop-upmenu. Klik op** Ja.

2.2d Help! Ik kan mijn bureaubladafbeelding niet wijzigen

In de Starter-versie van Windows 7 is het niet mogelijk de bureaubladachtergrond te wijzigen – in ieder geval niet zonder software van derden eerst te installeren. Bij de andere versies kunt u kiezen uit standaard door Windows meegeleverde foto's, maar u kunt ook een eigen foto kiezen. Zelfs een diashow van verschillende foto's is mogelijk. Zo wijzigt u de bureaubladachtergrond:

1 **Klik op de** Startknop **en dan op** Configuratiescherm. **Klik op** Bureaubladachtergrond wijzigen, **dat u aantreft onder de sectie** Vormgeving en persoonlijke instellingen.

2 **Klik op de kleur of afbeelding die u wilt gebruiken voor de achtergrond.**

3 Ziet u niets leuks? Klik op Bladeren om elders op uw computer een afbeelding te zoeken – zoals een familiefoto. U klikt op een item in de lijst met Afbeeldingslocaties, om andere categorieën te bekijken.

4 Dubbelklik op de afbeelding die u wilt gebruiken als bureaubladachtergrond.

5 Klik op de pijl onder Afbeeldingspositie en kies voor het aanpassen van de afbeelding om hiermee het scherm te vullen, de afbeelding meerdere malen naast elkaar te tonen of haar te centreren. Klik op Wijzigingen opslaan.

Werkbalk

Een verticale of horizontale balk op het scherm, bestaand uit kleine pictogrammen die een taak uitvoeren wanneer erop wordt geklikt.

2.2e   Help! Mijn pictogrammen zijn te klein

Windows 7 toont bestanden, mappen en pictogrammen in een standaardformaat, maar als u net bent overgestapt op Windows 7 kunt u deze te klein of te groot vinden. Gebruik de knop *Weergave wijzigen* in de werkbalk van een open map om de grootte van pictogrammen te wijzigen.

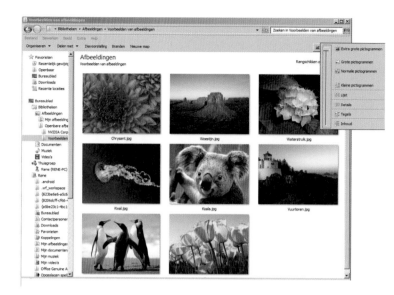

1 **Open de map met bestanden waarvan u het formaat wilt wijzigen.**
2 **Klik op de pijl naast de knop** Weergave wijzigen **en verplaats de schuif om de grootte van de pictogrammen van uw mappen en bestanden te wijzigen.**
3 **Een reeks instellingen, zoals** Extra grote pictogrammen**, kan op de schuifbalk worden aangeklikt om naar die instelling te springen.**

U kunt tijdens het bekijken van mappen en bestanden snel schakelen tussen verschillende weergavetypen, door herhaaldelijk op de knop *Weergave wijzigen* te klikken in plaats van op de pijl ernaast.

De vijf weergavetypen zijn *Lijst, Details, Tegels, Inhoud* en *Grote pictogrammen*. Probeer ze een voor een om te ontdekken welke u het best bevalt.

2.3   Veelvoorkomende foutmeldingen

Computers kunnen te maken krijgen met allerlei problemen. In dit boek bespreken we per activiteit met welke problemen u te maken kunt krijgen. Sommige problemen en foutmeldingen kunt u tegenkomen ongeacht waar u mee bezig bent. Wij geven u een handleiding voor enkele van de meest voorkomende meldingen en hun betekenissen.

2.3a   *Programmanaam reageert niet*

Wat het betekent   Dit betekent dat een daaiend programma er lang over doet om een taak te voltooien. Door te klikken op *Het programma afsluiten* verliest u mogelijk niet-opgeslagen bestanden die op dat moment door het programma worden gebruikt.

Wat u kunt doen   U kunt op *Het programma afsluiten* klikken om het af te sluiten, maar het kan de moeite lonen iets langer te wachten om te zien of het programma er toch in slaagt de taak te voltooien.

2.3b Fout bij verplaatsen bestand of map

Wat het betekent Deze melding krijgt u als u probeert een bestand te verplaatsen of te wissen terwijl dit wordt gebruikt door een programma. Bijvoorbeeld het verplaatsen van een foto die nog geopend is in een fotobewerkingsprogramma.

Wat u kunt doen Sluit het programma dat het bestand gebruikt en verplaats of wis vervolgens het bestand. Eventueel moet u de computer opnieuw opstarten als dit de eerste keer niet werkt. Zie pagina 63 voor meer hulp bij het verplaatsen van bestanden.

2.3c Buffer overrun detected

Wat het betekent Een programma probeert meer geheugen te gebruiken dan Windows toestaat.

Wat u kunt doen Klik op *ok* bij de foutmelding om het programma te stoppen. Laat uw beveiligingspakket een volledige scan uitvoeren, aangezien buffer overruns kunnen worden veroorzaakt door malware. Zorg er eerst voor dat uw beveiligingssoftware is bijgewerkt.

2.3d Plaats een schijf

Wat het betekent Windows verwacht in de diskdrive een schijf aan te treffen – zoals een dvd of cd – om een taak te kunnen uitvoeren.

Wat u kunt doen Controleer of de gewenste schijf zich in de drive bevindt. Zo ja, dan kan het zijn dat het stuurprogramma voor de dvd- of cd-drive moet worden bijgewerkt. Zie pagina 184 voor hulp bij het updaten en installeren van stuurprogramma's.

2.3e Het systeem is hersteld van een ernstige fout

Wat het betekent U ziet dit bericht nadat uw computer is vastgelopen en opnieuw is opgestart. Dit werd veroorzaakt door een ernstig conflict.

Wat u kunt doen Niet veel, aangezien het meestal om een zeldzame, zich niet herhalende gebeurtenis gaat. Raadpleeg, als het gebeurt, direct par. 1.2 op pagina 11.

2.3f Het Blauwe Scherm des Doods

Wat het betekent Het Blauwe Scherm des Doods, zoals het bekendstaat, is een blauw scherm met witte tekst dat verschijnt wanneer uw computer een ernstig probleem heeft.

Wat u kunt doen Uw computer moet opnieuw worden opgestart en u moet een aantekening maken over de foutcode. Typ deze code in een internetzoekmachine voor meer informatie over de betekenis ervan en eventueel beschikbare manieren om de fout te herstellen.

Buffer

Een deel van het computergeheugen dat door een programma wordt gebruikt om tijdelijk informatie op te slaan.

Antispyware

Software die spyware voorkomt en/of verwijdert.

Antivirussoftware

Software die scant op virussen en deze van uw computer verwijdert.

Malware

Kwaadaardige software. Een algemene term voor elk programma dat schadelijk is voor uw computer, zoals een virus.

2.3g   Windows 7 herstart uw computer na een Blauw Scherm des Doods zonder dat u genoeg tijd heeft om de foutcode te noteren

Om dit te wijzigen:
① **Klik op de** Startknop, **rechtsklik op** Computer **en kies** Eigenschappen **in het pop-upmenu. Klik in het paneel links op** Geavanceerde systeeminstellingen.
② **Klik op** Instellingen… **onder** Opstart- en herstelinstellingen. **Haal het vinkje weg bij** De computer automatisch opnieuw opstarten. **Een eventueel nieuw Blauw Scherm des Doods zal nu op zijn plaats blijven totdat u de foutmelding heeft genoteerd.**

2.3h   Probleem met snelkoppeling
Wat het betekent U heeft een pictogram aangeklikt dat een snelkoppeling was naar een programma dat Windows 7 niet meer kan vinden. Het programma kan zijn verplaatst, hernoemd of verwijderd.
Wat u kunt doen Spoor het programma op waarnaar de snelkoppeling moet leiden. Klik erop met de rechtermuisknop en klik op *Bureaublad (snelkoppeling maken)* in het *Kopiëren naar*-menu. Hiermee maakt u een nieuw snelkoppelingspictogram. Verwijder het oorspronkelijke pictogram.

2.3i   De volgende programma's zijn nog actief
Wat het betekent U heeft Windows gevraagd om af te sluiten, maar sommige programma's kunnen niet worden afgesloten, omdat ze bijvoorbeeld nog niet opgeslagen documenten open hebben staan of omdat een programma is vastgelopen.
Wat u kunt doen Sluit het programma en sla eventuele openstaande documenten op.

2.3j   De schijf is tegen schrijven beveiligd
Wat het betekent Sommige schijven, zoals usb-drives, hebben schakelaars die voorkomen dat gegevens naar de schijf worden weggeschreven of dat inhoud wordt gewist.

Wat u kunt doen Zorg dat de fysieke schakelaar zo staat ingesteld dat gegevens naar de schijf mogen worden geschreven of gewijzigd.

2.3k *Apparaat is niet klaar*
Wat het betekent U probeert een drive, zoals een dvd-drive, te gebruiken voordat deze klaar is om te worden gebruikt.
Wat u kunt doen Wacht even voordat u een schijf plaatst, zodat Windows de drive gereed kan maken voor gebruik. Als dit blijft gebeuren, controleer dan of het stuurprogramma voor het apparaat moet worden bijgewerkt. Zie pagina 184 voor advies over het updaten van stuurprogramma's.

2.3l *De gecomprimeerde (gezipte) map is ongeldig of beschadigd*
Wat het betekent U heeft geprobeerd een gecomprimeerd bestand te openen, maar Windows is niet in staat de informatie hieruit te halen.
Wat u kunt doen Als u het zipbestand heeft gedownload via het web, kunt u het opnieuw downloaden om te zien of dit het probleem oplost. Als het een zipbestand is dat u werd toegezonden, vraagt u de afzender om de originele informatie opnieuw te zippen.

2.3m *Er is onvoldoende ruimte beschikbaar op de harde C-schijf*
Wat het betekent U heeft bijna alle opslagruimte op de C-schijf gevuld met informatie.
Wat u kunt doen De C-schijf wordt gebruikt om programma's en tijdelijke informatie op te slaan. Wanneer deze schijf vol is, kan dit problemen veroorzaken. Overweeg ongebruikte programma's te verwijderen en oude bestanden te archiveren op een andere drive, zoals een externe harde schijf.

2.4 Veelvoorkomende Windows 7-problemen

Windows 7 verhelpt veel van de irritaties en problemen waar voorgaande versies van het besturingssysteem, zoals Windows Vista, aan leden. Toch kunt u enkele problemen en wijzigingen tegenkomen die specifiek zijn voor Windows 7, vooral bij een upgrade vanaf een vorige Windows-versie.

2.4a *Start met de nieuwe Probleemoplosser*
Windows 7 bevat een nieuwe Probleemoplosserfunctie. Deze bevat programma's die zijn ontwikkeld om automatisch veelvoorkomende computerproblemen te verhelpen, zoals hardware- en netwerkstoringen en problemen die optreden tijdens het internetten. Gebruik Probleemoplosser altijd als eerste redmiddel, want hij lost het probleem mogelijk eenvoudig voor u op.

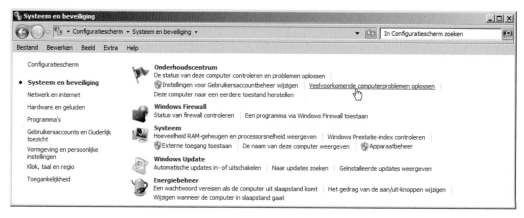

1 **Klik op de** Startknop **en dan op** Configuratiescherm. **Klik op** Systeem en beveiliging **en ten slotte op** Veelvoorkomende computerproblemen oplossen.

We verwijzen in dit boek regelmatig naar het gebruik van Probleem-oplossers voor specifieke problemen. Andere voor Windows 7 speci-fieke problemen die u misschien tegenkomt, behandelen we hier.

2.4b   Windows 7 blijft mijn geopende vensters verschuiven

Dit is een nieuwe automatische functie van Windows, genaamd *Aero Snap*. Deze is ontwikkeld om vensters te verplaatsen en van grootte te veranderen om de productiviteit te verbeteren. Het kan irritant zijn wanneer dat gebeurt zonder uw toestemming. Zo schakelt u deze functie uit:

1 **Klik op de** Startknop **en dan op** Configuratiescherm. **Klik op** Toegan-kelijkheid **en vervolgens op** Wijzigen hoe de muis werkt.

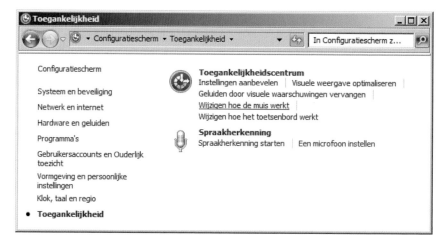

2 **Zet onder de sectie**
Het beheren van vensters
vereenvoudigen **een vinkje
bij** Voorkomen dat ven-
sters automatisch worden
gerangschikt wanneer ze
aan de rand van het scherm
worden geplaatst. **Klik op**
OK.

2.4c *Windows 7 heeft de werking van mijn taakbalk gewijzigd*

De nieuwe taakbalk in Windows 7 maakt op een andere manier
gebruik van knoppen dan voorheen. Het kan lastig zijn om te zien of
een pictogram een snelkoppeling is of een actief programma. U kunt
de taakbalk meer laten lijken op die in voorgaande Windows-versies.

1 **Klik met de rechtermuisknop op de taakbalk en selecteer** Eigenschappen **in het pop-
upmenu.**
2 **Zorg ervoor dat** Taakbalkknoppen **staat
ingesteld op** Nooit combineren **of op** Combineren als taakbalk vol is. **Klik op** OK.

3 **Om de werkbalk** Snelstarten **uit de
vorige Windows-versie te herstellen, klikt u
rechts op de taakbalk. Klik dan op** Werkbalken **en vervolgens op** Nieuwe werkbalk... **Typ
'%userprofile%\AppData\Roaming\Microsoft\
Internet Explorer\Quick Launch' in de** Map-
regel, **en klik op** Map selecteren. **De** Snelstar-
ten-**taakbalk komt nu weer tevoorschijn (met
de Engelse naam Quick Launch).**

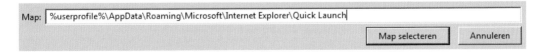

2.4d *Windows heeft de configuratiescherm- en Prullenbakmappen
verborgen in Windows Explorer*

Als u zich na een klik op de *Startknop* en vervolgens op *Computer*
afvraagt waar mappen zoals het configuratiescherm en de Prullenbak

zijn gebleven, dan blijkt Windows 7 die te hebben verborgen. Zo haalt u ze weer tevoorschijn:

1 **Klik op de** Startknop **en dan op** Computer. **Klik in het venster dat nu opent op** Organiseren **en vervolgens op** Map- en zoekopties. **Zet een vinkje bij** Alle mappen weergeven **en klik op** OK. **De mappen zullen nu weer zichtbaar zijn in het linkerpaneel.**

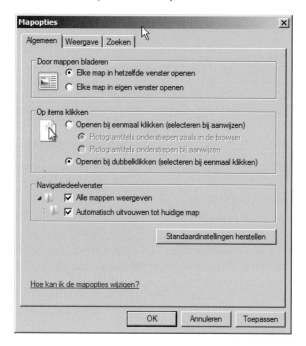

2.4e Windows heeft mijn foto-, e-mail- en videoprogramma's verwijderd

In Windows 7 ontbreken sommige programma's die wel in voorgaande versies aanwezig waren. Movie Maker, Photo Gallery en Windows Mail zijn bijvoorbeeld niet te vinden na installatie van Windows 7. Ga naar http://download.live.com om de ontbrekende programma's gratis te downloaden. Voor meer details over deze programma's, zie pagina's 154 en 169.

2.4f Windows 7 heeft de bestandsextensies verborgen

Bestandsextensies als doc(x), exe en pdf worden door Windows 7 verborgen om alles er minder rommelig uit te laten zien. Maar het kunnen wel handige aanwijzingen zijn. Zo maakt u ze weer zichtbaar:

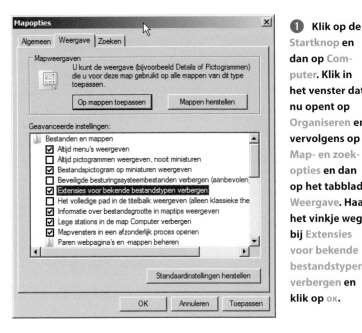

① **Klik op de** Startknop **en dan op** Computer. **Klik in het venster dat nu opent op** Organiseren **en vervolgens op** Map- en zoekopties **en dan op het tabblad** Weergave. **Haal het vinkje weg bij** Extensies voor bekende bestandstypen verbergen **en klik op** ok.

Tip

Windows bevat een aantal Probleemoplossers, maar u kunt er online nog meer vinden. Zet daarvoor helemaal onder in het scherm *Problemen met de computer oplossen* een vinkje bij *De meest recente Probleemoplossers downloaden van de Windows Online Troubleshooting Service.*

2.4g *Bestandsnavigatie toont niet alle bestanden*

Windows 7 Verkenner – daarmee zoekt u bestanden op uw computer – werkt anders dan in voorgaande versies. De mappenstructuur links klapt niet uit, terwijl u door mappen en bestanden navigeert in het rechterpaneel. Zo gaat u weer terug naar het gedrag van de vorige versies:

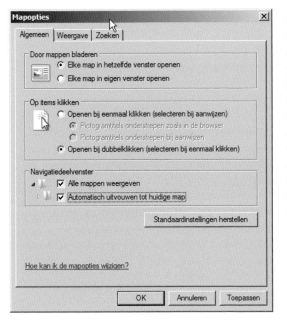

① **Klik op de** Startknop **en dan op** Computer. **Klik in het venster dat nu opent op** Organiseren **en dan op** Map- en zoekopties. **Vink** Automatisch uitvouwen tot huidige map aan **en klik op** ok.

2.4h *Windows 7 laat Windows Live Messenger op de taakbalk staan*
Zelfs wanneer u Windows Live Messenger afsluit, laat Windows 7 het
pictogram hiervan op de taakbalk staan in plaats van in het systeemvak, waar het in voorgaande versies te vinden was. Dit kan kostbare
taakbalkruimte innemen, maar u kunt ervoor zorgen dat het net zo
gaat als in vorige versies:

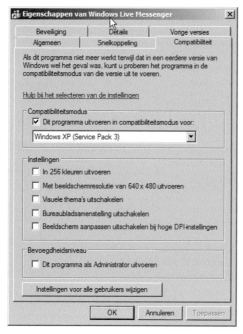

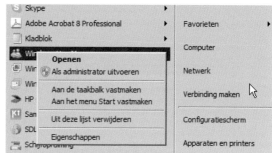

❶ **Zoek de snelkoppeling naar** Windows Live Messenger **en klik er met de rechtermuisknop op. Klik in
het pop-upmenu dat nu verschijnt op** Eigenschappen.
❷ **Klik op** Compatibiliteit. **Zet een vinkje bij** Dit
programma uitvoeren in compatibiliteitsmodus **en
kies dan** Windows XP (Service Pack 3). **Klik op** ok.
**Sluit Messenger en het pictogram zal net als in voor-
gaande versies weer in het systeemvak te vinden zijn.**

2.5 Een pc toegankelijk maken

De computer is een fantastisch hulpmiddel voor mensen met licha-
melijke beperkingen. Met de juiste instellingen kunnen 'toegankelijk-
heidsproblemen' met betrekking tot de pc snel worden opgelost.

2.5a *Ik wil de computer gebruiken zonder toetsenbord of muis*
Als u de computer wilt gebruiken zonder een toetsenbord kunt u
een *Schermtoetsenbord* gebruiken. Wilt u ook geen muis gebruiken,
bedien Windows dan via uw stem met *Spraakherkenning*.

❶ **Klik op de** Startknop **en dan op** Configuratiescherm. **Klik op** Toegankelijkheid **en dan op** Toegankelijkheidscentrum. **Klik op** De computer
zonder muis of toetsenbord gebruiken.
❷ **Kies de gewenste optie:**

Schermtoetsenbord gebruiken

Dit is een virtueel toetsenbord op het scherm. U kunt de muis gebruiken om lettertekens aan te wijzen en erop te klikken, net als bij een fysiek toetsenbord.

Spraakherkenning gebruiken

U heeft hiervoor een op uw computer aangesloten microfoon nodig. Hiermee kunt u gesproken opdrachten geven aan de computer en ook tekst dicteren.

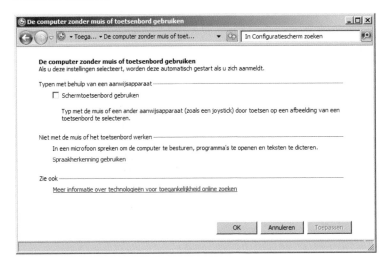

2.5b *Ik wil mijn computerscherm beter leesbaar maken*

Computerschermen kunnen snel overvol raken met afleidende afbeeldingen, pictogrammen en informatie. Een paar extra instellingen zijn voldoende om items beter zichtbaar te maken. U kunt bijvoorbeeld de computer zelfs laten beschrijven wat er staat door alles hardop voor te laten lezen.

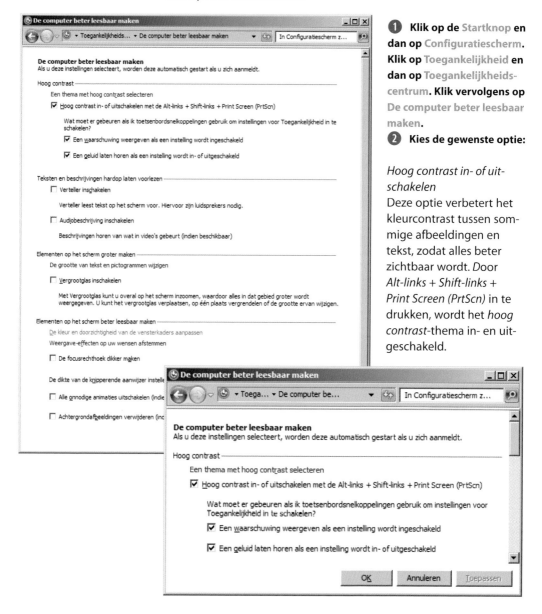

1 **Klik op de** Startknop **en dan op** Configuratiescherm. **Klik op** Toegankelijkheid **en dan op** Toegankelijkheidscentrum. **Klik vervolgens op** De computer beter leesbaar maken.

2 **Kies de gewenste optie:**

Hoog contrast in- of uitschakelen
Deze optie verbetert het kleurcontrast tussen sommige afbeeldingen en tekst, zodat alles beter zichtbaar wordt. *Door Alt-links + Shift-links + Print Screen (PrtScn) in te drukken, wordt het hoog contrast-thema in- en uitgeschakeld.*

Verteller inschakelen
Hiermee zet u de verteller aan wanneer u de computer start. Deze zal teksten op het scherm hardop voorlezen, evenals items als foutmeldingen tijdens het gebruik van uw computer.

Audiobeschrijving inschakelen
Deze optie beschrijft hardop wat er gebeurt in video's die op uw computer worden vertoond.

De grootte van tekst en pictogrammen wijzigen
Deze instelling wijzigt de grootte van tekst en pictogrammen die op het scherm verschijnen. Alles wordt groter en dus beter zichtbaar.

Vergrootglas inschakelen
Het vergrootglas werkt als een traditioneel vergrootglas door dat deel van het scherm te vergroten waar de muis naar wijst.

De kleur en doorzichtigheid van de vensterkaders aanpassen
Deze instelling maakt het gemakkelijker om de randen van vensters te detecteren.

Weergave-effecten op uw wensen afstemmen
Hiermee verandert u hoe sommige weergave-effecten worden getoond.

De focusrechthoek dikker maken
Deze optie maakt de rechthoek rond het huidige geselecteerde item in berichtvakken dikker en is daardoor eenvoudiger te herkennen.

De dikte van de knipperende aanwijzer instellen
Deze instelling maakt de knipperende cursor in programma's als tekstverwerkers dikker en dus beter zichtbaar.

Alle onnodige animaties uitschakelen (indien mogelijk)
Hiermee schakelt u effecten uit die de aandacht afleiden, zoals het langzaam vervagen van vensters bij het afsluiten.

Achtergrondafbeeldingen verwijderen (indien beschikbaar)
Hiermee verbergt u alle overlappende, irrelevante inhoud en achtergrondafbeeldingen. Dit maakt het scherm minder rommelig en dus beter leesbaar.

2.5c   *Ik wil mijn toetsenbord makkelijker gebruiken*
U kunt het toetsenbord gebruiken om de muis te besturen en sneller toegang te krijgen tot veelvoorkomende Windows-taken en -acties.

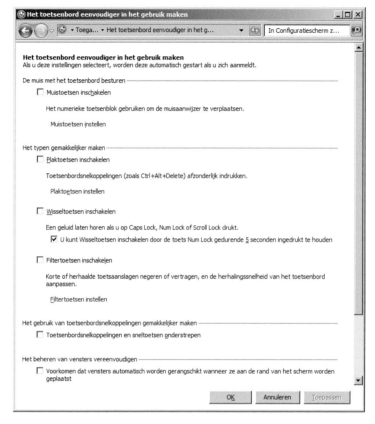

1 **Klik op de** Startknop **en dan op** Configuratiescherm. **Klik op** Toegankelijkheid **en dan op** Toegankelijkheids-centrum. **Klik op** Het toet-senbord eenvoudiger in het gebruik maken.

2 **Kies de gewenste optie:**

Muistoetsen inschakelen
Dit stelt u in staat met de pijltjestoetsen op uw toetsenbord de muiscursor over het scherm te bewe-gen, in plaats van met de muis.

Plaktoetsen inschakelen
Als u het indrukken van toetscombina-ties lastig vindt (zoals *Ctrl+Alt+Delete*), laten *Plaktoetsen* u een enkele hierop ingestelde toets gebruiken.

Wisseltoetsen inschakelen
Deze optie toont elke keer dat u toetsen als CapsLock, Scroll Lock of NumLock indrukt een melding op het scherm en voorkomt dat u ze indrukt zonder er erg in te hebben.

Filtertoetsen inschakelen
Deze instelling vertelt uw computer toetsen te negeren die per onge-luk enkele seconden lang worden ingedrukt, evenals toetsaanslagen die elkaar te snel opvolgen.

Toetsenbordsnelkoppelingen en sneltoetsen onderstrepen
Deze optie onderstreept de toets die u moet indrukken om bericht-vakken te bedienen.

Voorkomen dat vensters automatisch worden gerangschikt wanneer ze aan de rand van het scherm worden geplaatst
Deze instelling voorkomt dat open vensters worden vergroot/ver-kleind en aan de randen van het scherm worden gekoppeld wanneer ze daar naartoe worden verplaatst.

2.6 Programma's verwijderen

Veel pc-fabrikanten stoppen nieuwe computers vol programma's (crapware) die u niet heeft besteld en mogelijk helemaal niet wilt hebben. Dit zijn vaak probeerversies en beperkte edities van programma's waarvan softwarebedrijven hopen dat u ze uitprobeert, nuttig vindt en vervolgens de volledige of nieuwere versie aanschaft.

Mocht u besluiten ze niet te willen hebben, dan kan de computer trager worden als u deze software erop laat staan, omdat hij kostbaar geheugen, schijfruimte en processorcapaciteit gebruikt.

Het is daarom een goed idee alle programma's te deïnstalleren die u niet van plan bent te gebruiken. Deze software kan door de fabrikant, maar ook door u zelf geïnstalleerd zijn – vaak gaat het om hulpprogramma's die ontworpen zijn om de hardware en software van uw computer te beheren en af te stellen.

Hulpprogramma's als virusscanners, schijfopruimers en back-upprogramma's worden meestal automatisch geactiveerd tijdens het opstarten. Veel mensen hebben zelfs geen idee dat deze programma's actief zijn.

Zelfs als uw pc al wat ouder is, kan deze nog door de fabrikant geïnstalleerde programma's bevatten die u nooit heeft opgemerkt of allang vergeten bent. Het is nooit te laat om ze te verwijderen en af te rekenen met deze rommel en verspilde systeembronnen. Misschien dacht u deze software ooit nog te gaan gebruiken, maar is het er nooit van gekomen. Verwijder hem daarom liever en kijk of uw pc er sneller van wordt. Voor instructies leest u verder.

2.6a Hoe u een programma níet verwijdert
Simpelweg de map verwijderen waarin het programma zich bevindt, werkt niet in Windows – dit kan in de toekomst problemen veroorzaken en zal meestal niet alle benodigde bestanden verwijderen.
U verwijdert ook niet het daadwerkelijke programma door het pictogram ervan van het bureaublad of uit het *Startmenu* te verwijderen – u wist zo alleen de snelkoppeling die het programma start.

2.6b Zo verwijdert of wijzigt u wél een programma
De juiste manier om een programma te verwijderen of te wijzigen, is door gebruik te maken van de *Programma verwijder*-functie in Windows.

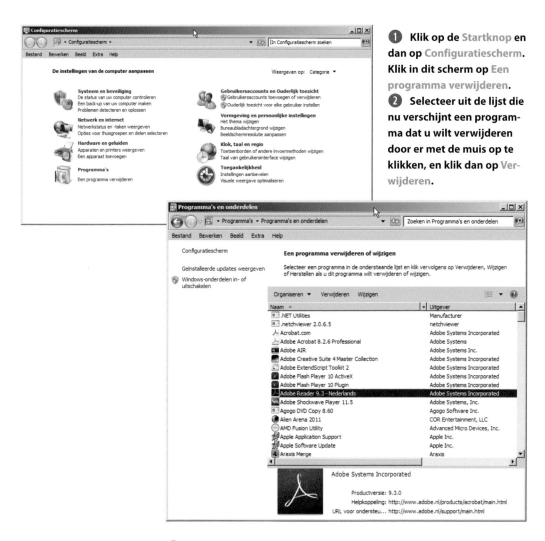

1 **Klik op de** Startknop **en dan op** Configuratiescherm. **Klik in dit scherm op** Een programma verwijderen.

2 **Selecteer uit de lijst die nu verschijnt een programma dat u wilt verwijderen door er met de muis op te klikken, en klik dan op** Verwijderen.

3 **Sommige programma's zullen behalve de optie om het te verwijderen ook de mogelijkheid bieden het te wijzigen of te herstellen. Als u problemen ondervindt met een programma, kunt u proberen te klikken op** Wijzigen **of** Herstellen **in plaats van op** Verwijderen. **Volg hierna de instructies op het scherm.**

2.6c   *Mijn programma staat niet in de lijst*

Als u de bovenstaande stappen volgt maar het programma dat u wilt verwijderen, staat niet vermeld in *Programma's en -onderdelen*, dan doet u het volgende:

1 **Controleer de informatie die bij het programma werd meegeleverd voor advies over het verwijderen ervan.**

② Klik op de Startknop en klik op Computer. Ga naar de map C:\ Program Files waarin veel programma's zichzelf installeren. Veel programma's hebben in hun programmamap een deïnstallatieprogramma waarmee u het programma kunt verwijderen.

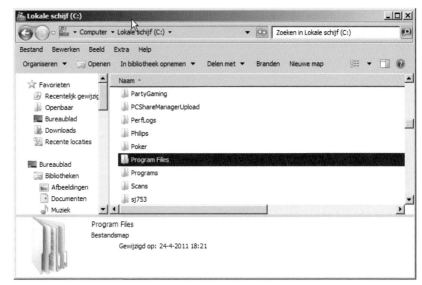

2.6d *Mijn programma laat zich niet verwijderen*

Als u het programma nog steeds niet kunt verwijderen, probeer het dan nog eens, want een tweede keer lukt het vaak wel. Lukt het nu nog niet, probeer Windows dan te starten in de Veilige modus (zie pagina 28 voor uitleg hoe u dit doet) en deïnstalleer het programma.

2.7 Oudere programma's gebruiken

Windows 7 is op de meeste nieuwe computers al bij aankoop geïnstalleerd. Programma's die voor Windows Vista zijn geschreven, behoren zonder problemen te werken. Programma's die voor een eerdere versie zijn geschreven, zoals Windows xp, kunnen wel problemen ondervinden.

Als u een ouder programma heeft, kunt u de Probleemoplosser Windows Programmacompatibiliteit proberen te gebruiken om te zien of u het werkend krijgt in Windows 7. Zo niet, dan moet u mogelijk de nieuwste versie van het programma downloaden of kopen. Controleer wel eerst even of het herschreven is zodat het ook werkt onder Windows 7.

① Klik op de Startknop en dan op Configuratiescherm. Typ in het zoekvak van het configuratiescherm 'probleemoplossing' en klik in de lijst met resultaten op Probleemoplossing.

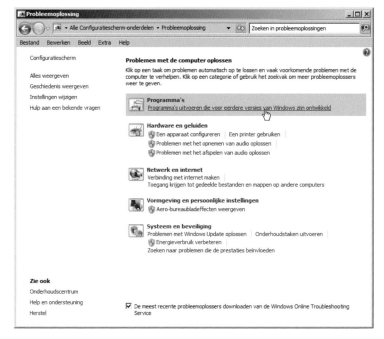

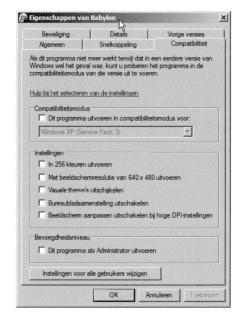

❷ **Klik onder** Program-
ma's **op** Programma's
uitvoeren die voor eerdere
versies van Windows zijn
ontwikkeld.

❸ **Volg de instructies
van de Probleemoplosser.**

Als alternatief kunt u
ook rechtsklikken op
een programmapicto-
gram of snelkoppeling
en daana in het pop-
upmenu klikken op
*Compatibiliteitsproblemen
oplossen.*

2.7a   Handmatig compatibiliteit instellen

Windows 7 biedt de mogelijkheid om de compatibiliteit af te stellen
en elke instelling individueel aan te passen. De tabel op pagina 57
toont het effect van elke instelling.

Pas op

Gebruik de *Probleem-
oplosser Programma-
compatibiliteit* niet in
combinatie met oudere
beveiligingspakketten
of oudere schijfhulppro-
gramma's, aangezien dit
tot verlies van gegevens
kan leiden.

1 **Zoek het programmapictogram of de snelkoppeling en rechtsklik erop. Klik in het pop-upmenu op** Eigenschappen **en klik vervolgens op het tabblad** Compatibiliteit**.**

Optie systeemherstel	Beschrijving
Compatibiliteitsmodus	Probeer dit eerst als u weet voor welke Windows-versie dit programma is geschreven. Hiermee zal het automatisch worden uitgevoerd met de juiste instellingen voor die Windows-versie.
In 256 kleuren uitvoeren	Sommige programma's zijn alleen uit te voeren wanneer minder kleuren worden gebruikt op het scherm.
Met beeldschermresolutie van 640x480 uitvoeren	Sommige programma's zijn alleen uit te voeren in lagere resoluties. Deze instelling voert ze uit in een kleiner venster met lagere resolutie.
Visuele thema's uitschakelen	Een goede oplossing wanneer u problemen ondervindt met menu's of vreemd uitziende knoppen, aangezien het eventuele thema's voor het programma uitschakelt.
Bureaubladsamenstelling uitschakelen	Schakelt weergavefuncties, zoals transparante effecten, uit. Dit kan helpen bij het oplossen van weergaveproblemen die u ondervindt met het programma.
Beeldscherm aanpassen uitschakelen bij hoge DPI-instellingen	Wanneer u bij het gebruik van grote lettertypen te maken krijgt met problemen, schakelt deze optie het automatisch wijzigen van de grootte van lettertypen uit.
Bevoegdheidsniveau	Sommige programma's zijn alleen uit te voeren in administratormodus. U moet zijn ingelogd als een administrator om deze optie te kunnen selecteren.
Instellingen voor alle gebruikers wijzigen	Deze optie past eventuele instellingen toe op alle gebruikersaccounts op de computer.

2.8 Gebruikersaccounts beheren

2.8a *Ik blijf pop-upmeldingen krijgen of ik wel wil doorgaan. Is er iets mis met mijn computer?*

Wanneer u Windows gebruikt, zult u regelmatig waarschuwingen ontvangen, zoals 'Windows heeft uw toestemming nodig om door te kunnen gaan.' Dit is geen foutmelding, maar een veiligheidsmaatregel om te voorkomen dat (per ongeluk of via een virus) wijzigingen worden aangebracht in belangrijke systeembestanden en instellingen. Elke keer dat u op iets klikt wat gemarkeerd is met een rood/groen/blauw/geel schild, krijgt u een melding die om een bevestiging vraagt. Als u zeker weet wat u doet, klikt u op *Doorgaan*. Kies bij twijfel *Annuleren*. Dit is de betekenis van de verschillende schilden:

 Schild met meerdere kleuren Dit symbool betekent dat een Windows-functie of programma dat mogelijk invloed heeft op andere gebruikers van uw computer uw toestemming nodig heeft om door te gaan. Controleer of het een programma is dat u wilt uitvoeren voordat u op *OK* klikt.

Schild met uitroepteken Een programma dat geen deel uitmaakt van Windows heeft uw toestemming nodig om door te gaan. Controleer of u het programma en de uitgever ervan herkent voordat u toestemming geeft om het uit te voeren.

 Schild met vraagteken Een onbekend programma wil toegang tot uw computer krijgen. Dit betekent niet per se dat het een onbetrouwbaar programma is. Het betekent wel dat het geen digitale handtekening heeft waaraan het te herkennen is. Wees voorzichtig en voer het alleen uit als het uit een vertrouwde bron afkomstig is.

 Schild met rood kruis Dit symbool geeft aan dat het programma wordt geblokkeerd. Om dit programma uit te voeren, moet u inloggen als administrator en het deblokkeren.

3 BESTANDEN EN DOCUMENTEN

Door alle stappen in dit hoofdstuk
te lezen en te volgen, leert u:

- vermiste en gewiste bestanden
  terug te vinden
- problemen te verhelpen met het openen en
  opslaan van documenten en bestanden
- print- en lettertypeproblemen op te lossen

3.1 Vermiste bestanden

U weet dat u een belangrijk bestand of document ergens heeft opgeslagen – maar in de overvloed aan mappen en vensters kan het lastig zijn om het terug te vinden. Gelukkig heeft Windows 7 enkele geavanceerde zoekfuncties die u kunnen helpen het zoekgeraakte bestand terug te vinden – en de beste tactiek is een mix van manieren om het verloren bestand te zoeken.

3.1a Gebruik de zoekfunctie van het Startmenu
Dit is de snelste manier om vermiste mappen, bestanden, e-mails of software te vinden.

❶ Klik op de Startknop en typ vervolgens het woord of deel van het woord in het zoekvak onder in het Startmenu.

❷ De eerste zoekresultaten zullen al verschijnen terwijl u nog typt, waarbij de gevonden items in het Startmenu komen te staan. De resultaten zijn gebaseerd op het zoeken van overeenkomsten tussen wat u typt en de tekst in de naam van het bestand, tekst binnen het bestand zelf en bestandseigenschappen (zoals de datum en beschrijvende labels die u misschien heeft toegevoegd.

3.1b Zoeken binnen een map of bibliotheek
Als u bij benadering weet waar het vermiste bestand is – zoals in een bepaalde map of bibliotheek – kunt u uw zoekopdracht verfijnen door binnen deze specifieke locatie te zoeken. Door het zoekvak te gebruiken binnen een map of bibliotheek doorzoekt u ook alle submappen daarin.

❶ Klik op het mapicoontje in de taakbalk, en open en selecteer de benodigde map of bibliotheek en typ vervolgens het woord of deel van het woord in het zoekvak.

❷ Terwijl u aan het typen bent, verschijnen de zoekresultaten al in de huidige map of bibliotheek.

3.1c   Zoeken buiten een map of bibliotheek

Als u uw zoektocht moet uitbreiden tot buiten een bepaalde map of bibliotheek, kunt u de zoekopdracht breder maken door andere locaties toe te voegen.

① Open en selecteer de benodigde map of bibliotheek en typ het woord of deel van een woord in het zoekvak.
② Scroll naar het eind van de lijst met zoekresultaten en kies onder Opnieuw zoeken in een van de volgende opties:

- Kies *Bibliotheken* om uw zoekopdracht uit te breiden met alle bibliotheken op uw computer.
- Kies *Computer* om uw zoekopdracht uit te breiden tot elke map en locatie op uw computer.
- Kies *Aangepast* om de locatie te wijzigen in iets specifieks uit de lijst met getoonde keuzes.
- Kies *Internet* om te zoeken op het web. Hiermee opent u een webbrowser zodat u verder kunt zoeken op internet.

3.1d   Gerichter zoeken

De meeste mensen gebruiken trefwoorden om naar een bestand te zoeken, zoals 'bankafschrift'. Windows 7 biedt een reeks zoekfilters waarmee u gerichter naar een vermist bestand kunt zoeken. Zo voegt u een zoekfilter toe aan uw zoekopdracht:

① Open de harde schijf, map of bibliotheek die u wilt doorzoeken, zoals de Afbeeldingen-bibliotheek als u op zoek bent naar een specifieke foto.
② Klik in het zoekvak op een zoekfilter, zoals Genomen op.
③ Klik op een optie, bijvoorbeeld Eerder dit jaar, of een specifieke datum.

Wanneer u een zoekfilter gebruikt, zal het zoekvak automatisch woorden toevoegen om u te helpen uw zoekopdracht te beperken. Het is mogelijk extra zoekfilters en verschillende typen toe te voegen.

Tip

Wanneer u iets zoekt met behulp van het *Startmenu*, zullen bij de zoekresultaten alleen bestanden verschijnen die op uw computer zijn geïndexeerd door Windows. De meeste bestanden worden automatisch geïndexeerd, zoals bestanden die u in bibliotheken bewaart.

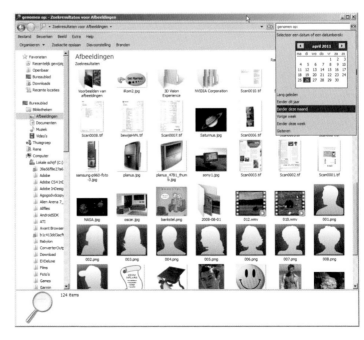

Er zullen verschillende zoekfilters beschikbaar zijn, afhankelijk van wat u zoekt en waar u dit doet, bijvoorbeeld de *Documenten*-bibliotheek of de *Afbeeldingen*-bibliotheek.

Tip

Door uw zoekopdracht te verbreden naar de gehele computer worden alle bestanden doorzocht, maar zal de zoekopdracht langer duren.

3.2 Ik heb per ongeluk bestanden gewist

Wanneer u een bestand wist, wordt het in feite niet volledig weggegooid en gaat het dus niet verloren – goed nieuws dus als u per ongeluk een bestand wist en vervolgens van gedachten verandert.

Wanneer u een bestand wist, wordt dit verplaatst naar de Prullenbak. Dit is een opslagruimte voor bestanden die u uiteindelijk daadwerkelijk wilt verwijderen. Het geeft u echter de kans om ze te redden voordat u de Prullenbak leegt. Zo haalt u een bestand terug uit de Prullenbak:

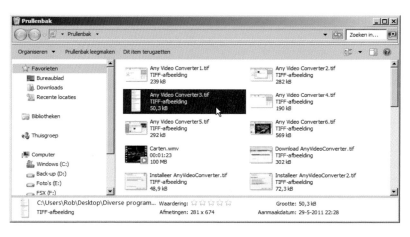

❶ **Dubbelklik op het Prullenbak-pictogram op het bureaublad. Als dit niet zichtbaar is, leest u op pagina 35 hoe u het zichtbaar maakt op uw bureaublad.**

❷ **Om een bepaald bestand te redden, klikt u er eenmaal op om het te selecteren. Klik vervolgens in de werkbalk op Dit item terugzetten. Het bestand zal worden teruggezet op de locatie waar u het verwijderde.**

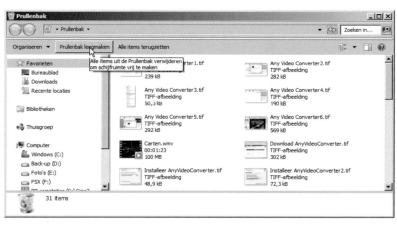

❸ **Om alle bestanden tegelijk terug te zetten, zorgt u ervoor dat er geen bestanden zijn geselecteerd en klikt u op Alle items terugzetten.**

3.3 Bestanden verplaatsen

Bestanden en documenten verplaatsen van de ene naar de andere locatie op uw harde schijf – bijvoorbeeld van het bureaublad naar een bibliotheek als *Documenten* – is niet moeilijk. Het is ook eenvoudig om een bestand per ongeluk op de verkeerde plaats te zetten. Begrijpen hoe u bestanden verplaatst en wat daarbij gebeurt, kan u helpen sommige pc-problemen op te lossen.

De meestgebruikte manier om bestanden te verplaatsen is via *drag & drop*, oftewel oppakken en laten vallen. Dit betekent dat u de muis gebruikt om een bestand aan te wijzen. Klik erop en houd de knop ingedrukt om het bestand te selecteren. Sleep het bestand dan – nog steeds met de muisknop ingedrukt – van de oorspronkelijke locatie naar een nieuwe locatie, zoals een geopend venster van de map *Documenten*. Laat de muisknop los zodra u boven het geopende venster bent, waarmee u het bestand in feite laat 'vallen' op zijn nieuwe locatie.

Afhankelijk van waar u het bestand naartoe sleept, kan dit leiden tot verschillende resultaten:

- Door een bestand van de ene map naar de andere te slepen op dezelfde harde schijf, wordt het bestand van de eerste map naar de doelmap *verplaatst*.

- Door een bestand van de ene map naar de andere te slepen op een andere harde schijf, zoals een usb-drive, wordt het bestand naar de doelmap *gekopieerd*. Het oorspronkelijke bestand blijft bewaard op dezelfde locatie.

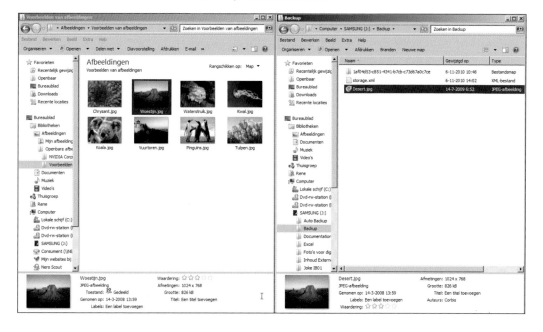

- Druk de rechtermuisknop in en houd deze ingedrukt tijdens het verslepen van een bestand om een pop-upmenu tevoorschijn te brengen. Hier kunt u kiezen of u het bestand wilt kopiëren of verplaatsen.

Een andere manier om bestanden te verplaatsen, is door het bestand te kopiëren en plakken (in het Engels: *copy/paste*). Dit betekent dat de computer een kopie maakt van het door u geselecteerde bestand, om het vervolgens te reproduceren op een door u gekozen locatie. Het oorspronkelijke bestand blijft intact op de originele locatie.

Hernoem het tijdens het kopiëren en plakken nieuw gemaakte bestand zodat u de bestanden niet door elkaar haalt. Zo gebruikt u kopiëren en plakken:

1 **Zoek en open de map met het bestand dat u wilt kopiëren, zodat dit zichtbaar is in het venster.**
2 **Klik erop met de rechtermuisknop en kies Kopiëren in het pop-upmenu.**

❸ Zoek en open de map waarin u het gekopieerde bestand wilt plaatsen en zorg dat een vrije, open ruimte zichtbaar is in de map.

❹ Rechtsklik op de lege ruimte in de map en kies Plakken. Een kopie van het originele bestand zal nu in de map verschijnen.

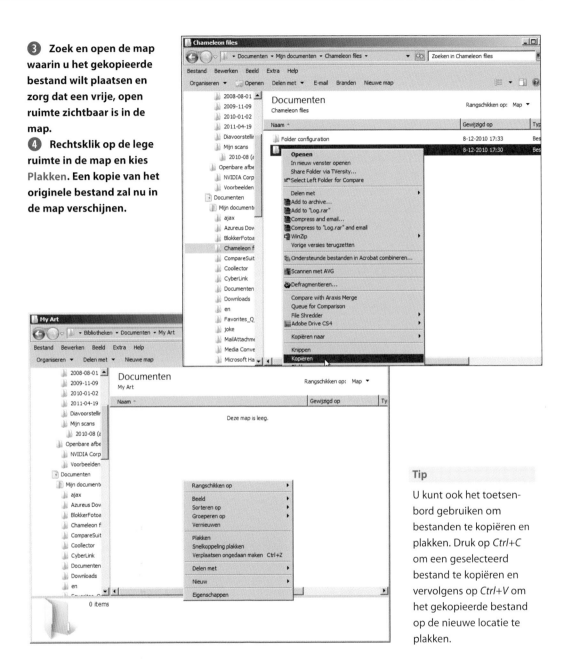

Tip

U kunt ook het toetsenbord gebruiken om bestanden te kopiëren en plakken. Druk op *Ctrl+C* om een geselecteerd bestand te kopiëren en vervolgens op *Ctrl+V* om het gekopieerde bestand op de nieuwe locatie te plakken.

3.4 Het lukt me niet bestanden te openen

Hoe u een bestand of document opent, is in Windows 7 normaal gesproken vrij duidelijk. Zoek het bestand op en dubbelklik erop om zowel het programma te openen waarmee u het bestand wilt bekijken als het bestand zelf. Maar soms kan het aanklikken van een bestand het verkeerde programma openen, of opent het bestand helemaal niet.

3.4a Wanneer ik een bestand open, gebeurt dat in het verkeerde programma

Alle bestanden zijn gekoppeld aan een specifiek programma. Een fotobestand (zoals een bestand dat eindigt op jpg of tif) zal meestal *Picture Viewer* openen als u erop dubbelklikt. Maar als u foto's wilt openen in een ander programma – zoals *Adobe Photoshop Elements* om ze te bewerken – moet u aangeven met welk programma u het bestand wilt openen.

① Zoek het bestand dat u wilt openen op in Windows.
② Rechtsklik op het bestand. Klik in het pop-upmenu op Openen met, en dan op de naam van het programma waarmee u het bestand wilt openen. Dat programma zal nu starten in plaats van het standaard inge- stelde programma, samen met het bestand zelf.

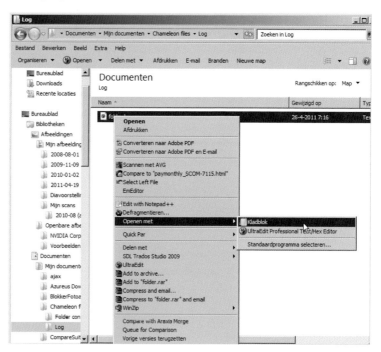

3.4b Wanneer ik dubbelklik op een bestand, krijg ik de foutmelding 'Windows kan het volgende bestand niet openen'

Als een bestand niet is gekoppeld aan een specifiek programma, zal Windows het bestand niet kunnen openen. Het kan gebeuren dat u

bijvoorbeeld een bestand probeert te openen dat door geen enkel op
uw computer geïnstalleerd programma kan worden geopend.

❶ Dubbelklik op het bestand dat u wilt openen.

❷ Klik in het venster met de foutmelding die nu verschijnt
op Het juiste programma op internet zoeken **en klik op** OK.

❸ U krijgt nu een lijst met suggesties voor programma's
die u kunt installeren om het bestand te bekijken. Eventueel
kunt u de zoekopdracht verder uitbreiden op internet.

3.4c Hoe laat ik een bepaald bestand altijd openen met een specifiek programma?

Als u zeker wilt weten dat
een bepaald bestand na
dubbelklikken altijd wordt
geopend in hetzelfde pro-
gramma, doet u dat zo:

❶ Zoek het bestand op in
de Verkenner.

❷ Rechtsklik op het
bestand. Ga in het pop-
upmenu vervolgens naar
Openen met **en klik dan**
op Standaardprogramma
selecteren....

❸ Klik in de lijst op het
programma waarmee u
het bestand voortaan wilt
openen.

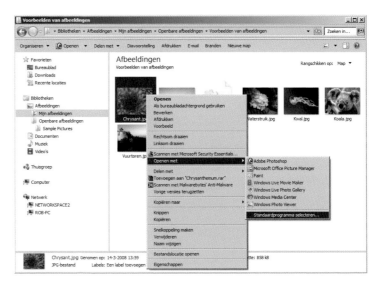

④ Zet een vinkje bij Dit type bestand altijd met dit programma openen en klik op ok.

3.5 Bestanden opslaan

Bestanden opslaan is een van de belangrijkste activiteiten die u op een computer verricht. Door een bestand waar u aan werkt vaak genoeg op te slaan, verliest u geen kostbare tijd met het herstellen van niet opgeslagen wijzigingen als de computer vastloopt of de stroom uitvalt. Bovendien heeft u altijd een actuele kopie van uw bestand.

3.5a *Hoe sla ik een bestand op de juiste manier op?*
Het opslaan van een bestand vindt altijd plaats in het programma dat u gebruikt om aan het bestand te werken, en dus niet in Windows zelf.

① Klik in het programma waarin het bestand is geopend op het menu Bestand en klik dan op Opslaan of klik (in sommige programma's) op het pictogram van een schijf.

② Als dit de eerste keer is dat u het bestand opslaat, navigeert u naar de locatie waar u het wilt opslaan en typt u een naam in die u aan het bestand wilt geven. Klik daarna op Opslaan. Als het bestand al eens eerder is opgeslagen, wordt dat bestand bijgewerkt.

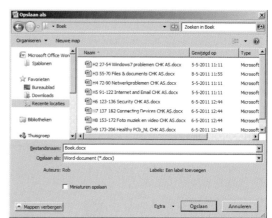

Tip

Als het programma dat u gebruikt geen menu *Bestand* heeft, kunt u ook tegelijk *Ctrl+S* indrukken op het toetsenbord om zo het bestand op te slaan.

3.5b Hoe kan ik een nieuwe versie opslaan en de oude behouden?

Soms wilt u een bestand openen, eraan werken en vervolgens de nieuwe, bijgewerkte versie opslaan als een ander bestand, in plaats van het oudere bestand bij te werken en te overschrijven. U wilt het oorspronkelijke bestand dus behouden. Daarnaast maakt u een nieuwe, bijgewerkte versie van het bestand waar u aan heeft gewerkt.

1 **Klik in het programma met daarin het geopende bestand op het menu** Bestand **en klik dan op** Opslaan als.

2 **Navigeer naar de locatie waar u het bestand wilt opslaan en voer dan een nieuwe naam in voor het bestand. Klik vervolgens op** Opslaan.

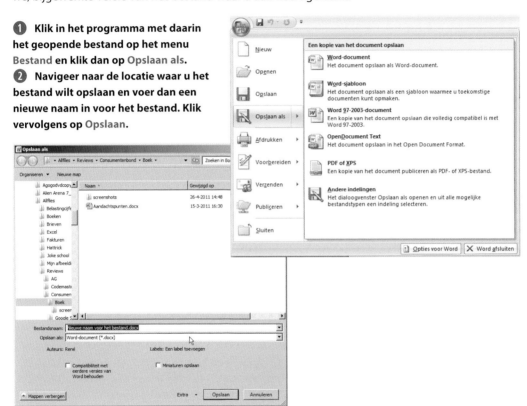

3.5c Mijn bestand kan niet worden opgeslagen

Als u de voorgaande stappen heeft gevolgd en het bestand niet heeft kunnen opslaan, kan dit een van de volgende oorzaken hebben:

De software is een probeerversie Sommige probeerversies van software laten u wel bestanden openen en maken, maar u kunt uw werk er niet mee opslaan. Dit is vaak zichtbaar via een grijsgemaakte Opslaan-optie in het menu Bestand. U moet het programma dan upgraden naar de volledige versie.

De schijf is beveiligd Controleer als u probeert op te slaan op een usb-stick eerst of deze geen fysieke schrijfbeveiliging heeft. Meestal bevindt zich aan de zijkant van de usb-stick een schuifje waarmee kan worden geschakeld tussen een gesloten en geopend hangslot-symbool. Verder kunt u geen bestanden opslaan naar media als voor-beschreven cd's of dvd's.

Het programma is niet gereed om op te slaan Controleer of er een berichtvenster openstaat dat op uw reactie wacht, bijvoorbeeld omdat u nog een actie moet bevestigen. Het programma kan nog in afwachting zijn van uw reactie voordat het door kan gaan met opslaan.

Bitmapfont

Een letter die is opge-bouwd uit minuscule puntjes, oftewel pixels. Hoewel geschikt voor het scherm, hebben bitmap-bestanden de neiging om er gerafeld uit te zien wanneer ze worden afgedrukt.

3.6 Problemen met lettertypen

Fonts of lettertypen zijn de digitale letter- en lettertekenstijlen die horen bij alle teksten op uw computer. Populaire lettertypen zijn onder andere Times New Roman, Helvetica en Arial.

3.6a *Ik kan een zojuist geïnstalleerd nieuw lettertype niet vinden in mijn lettertypemenu*
Sluit alle programma's die geopend waren toen u een nieuw lettertype installeerde. Open ze daarna weer, zodat ze het nieuwe lettertype kun-nen vinden.

Controleer of het lettertype compatibel is met uw software – zie de handleiding van de software voor uitleg over de ondersteunde let-tertypen.

Voor sommige lettertypen heeft u twee bestanden in uw lettertype-map nodig: een bitmapbestand voor het lettertype op het scherm en een bestand met contouren voor de printer. Mogelijk ontbreekt het bitmapbestand. Zo niet, dan moet u een ander lettertype gebruiken.

3.6b *Mijn afgedrukte tekst ziet er anders uit dan mijn schermtekst*
Printers ondersteunen niet altijd alle lettertypen. Een mogelijke oplos-sing is het lettertype te wijzigen naar een TrueType-lettertype – deze lettertypen zien er zowel op het scherm als afgedrukt altijd hetzelfde uit.

Controleer of u de grootte van het lettertype op het scherm niet heeft gewijzigd. Probeer de grootte anders nogmaals te wijzigen en kijk of de afgedrukte versie nu beter overeenkomt met de schermuit-voering.

Probeer een ander bestand of document af te drukken met hetzelfde lettertype – als het probleem zich herhaalt, ligt het waarschijnlijk aan het lettertype. Installeer het lettertype opnieuw.

3.6c Mijn lettertypen zien er vreemd uit als ik een document open van een andere computer
Tenzij u toegang heeft tot dezelfde lettertypen die oorspronkelijk werden gebruikt om het document te creëren, zult u het lettertype niet correct kunnen zien. Windows zal in plaats daarvan de tekst tonen in een lettertype dat u wel heeft of zelfs helemaal geen tekst laten zien.

Om dit te verhelpen, kunt u enkele TrueType-lettertypen meesturen met het document. Dit zorgt ervoor dat de tekst zonder problemen kan worden bekeken op elke computer. Zie de *Help*-sectie van de software waarmee u het document maakt voor advies over het meesturen van lettertypen.

3.7 Printerproblemen

3.7a Mijn tekst past niet goed op de afgedrukte pagina
Controleer het papierformaat en de grootte van het lettertype
Als u het lettertype te groot maakt of de verkeerde papiergrootte instelt in het *Afdrukken*-scherm wanneer u een pagina wilt printen, kan de tekst te breed zijn voor het papier.

Stel de juiste marges in
Zorg ervoor dat in het *Afdrukken*-scherm de paginamarges correct zijn ingesteld. Veel printers kunnen niet helemaal tot de rand van het papier afdrukken en hebben rondom dus wat tekstloze marge nodig.

Controleer het documentformaat
Als het document dat u maakt groter is dan het papierformaat in de printer, kan het afdrukken misgaan. Als u bijvoorbeeld een A3-document kiest maar dit afdrukt op A4-papier, kan niet iedere printer het formaat op de juiste manier passend maken voor het kleinere A4-papier.

3.7b Mijn printer drukt helemaal niets af
Uw eerste hulpmiddel is het starten van de Printer Probleemoplosser in Windows 7.

Tip

Een TrueType-versie van de meeste lettertypen vindt u op een site als www.fonts.com.

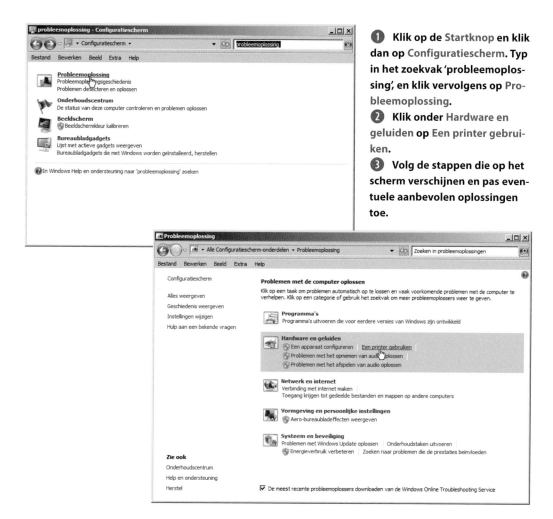

① **Klik op de** Startknop **en klik dan op** Configuratiescherm. **Typ in het zoekvak 'probleemoplossing', en klik vervolgens op** Probleemoplossing.

② **Klik onder** Hardware en geluiden **op** Een printer gebruiken.

③ **Volg de stappen die op het scherm verschijnen en pas eventuele aanbevolen oplossingen toe.**

Als dit het afdrukprobleem niet oplost, kan er een probleem zijn met het stuurprogramma van uw printer. Zie pagina 184 voor advies over het bijwerken en installeren van stuurprogramma's.

3.8c   Ik krijg een foutmelding over de 'Print Spooler'

De *Print Spooler* is het deel van de harde schijf op uw computer dat door Windows wordt gebruikt om de naar de printer verstuurde documenten tijdelijk op te slaan. Daar worden ze bewaard tot de printer klaar is om de documenten af te drukken en ze te accepteren.

De eenvoudigste manier om de Print Spooler te herstarten, is door uw werk op te slaan en de computer opnieuw op te starten. U kunt ook de volgende stappen proberen:

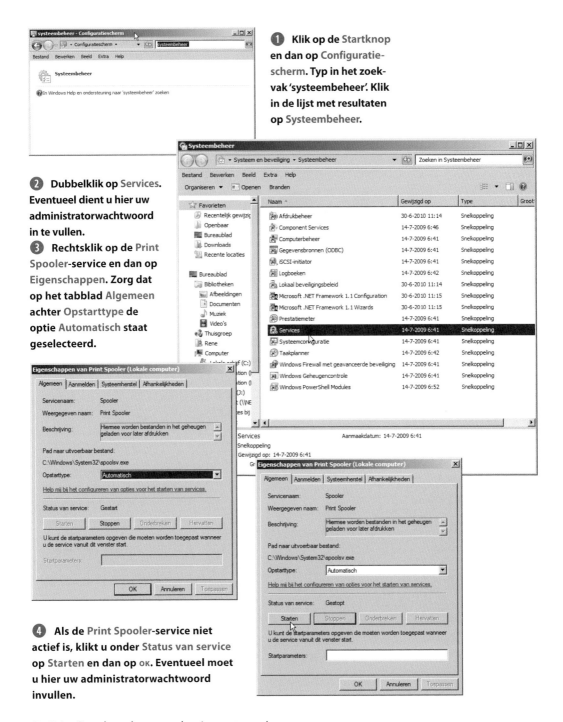

1 Klik op de Startknop en dan op Configuratie-scherm. Typ in het zoek-vak 'systeembeheer'. Klik in de lijst met resultaten op Systeembeheer.

2 Dubbelklik op Services. Eventueel dient u hier uw administratorwachtwoord in te vullen.

3 Rechtsklik op de Print Spooler-service en dan op Eigenschappen. Zorg dat op het tabblad Algemeen achter Opstarttype de optie Automatisch staat geselecteerd.

4 Als de Print Spooler-service niet actief is, klikt u onder Status van service op Starten en dan op OK. Eventueel moet u hier uw administratorwachtwoord invullen.

De Print Spooler zal nu weer beginnen te werken.

3.7d   Ik wil een netwerkprinter toevoegen, maar deze verschijnt niet
Als uw computer de printer die u wilt gebruiken niet kan vinden in
uw thuisnetwerk, moet u Windows een handje helpen bij het detecteren door het handmatig toevoegen van de printer.

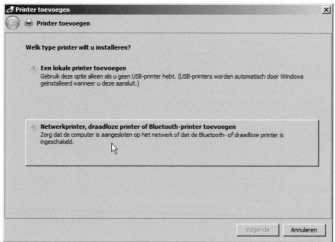

❶ Klik op de Startknop en dan
op Apparaten en printers in het
Startmenu. Klik in het scherm
dat nu verschijnt op Een printer
toevoegen.
❷ Kies in de wizard *Printer
toevoegen* voor Netwerkprinter,
draadloze printer of Bluetooth-
printer toevoegen.

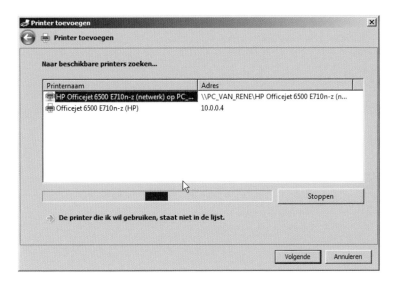

3 **Klik wanneer u de pagina** Naar beschikbare printers zoeken… **ziet op** De printer die ik wil gebruiken, staat niet in de lijst**.**

4 **Kies in het scherm** Printer op naam of TCP/IP-adres zoeken **of u de printer wilt vinden op basis van de locatie of het type printer, en klik daarna op** Volgende**.**

5 **Volg de resterende stappen van de printerkeuzehulp en klik op** Voltooien **als u klaar bent.**

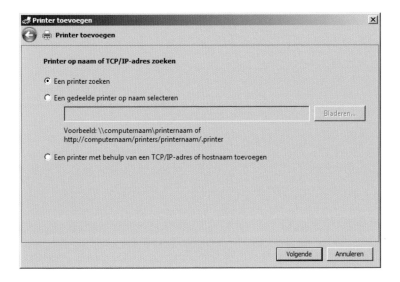

4 NETWERKPROBLEMEN

Door alle stappen in dit hoofdstuk
te lezen en te volgen, leert u:

- netwerkbeveiligings- en
  inlogproblemen op te lossen
- problemen met internetverbindingen
  en wifinetwerken op te lossen
- problemen met trage internet- en
  netwerkverbindingen te verhelpen

4.1   Hoe beveilig ik mijn netwerk?

Draadloze thuisnetwerken zijn veel gemakkelijker dan traditionele bekabelde, maar er komen wel beveiligingsrisico's bij kijken. Het is belangrijk dat u voorzorgsmaatregelen neemt om te voorkomen dat mensen, zonder dat u het merkt, verbinding maken met uw netwerk of zelfs uw netwerkinstellingen wijzigen.

Als u geen afdoende veiligheidsmaatregelen treft, kan iedereen die binnen bereik is (zoals buren en voorbijgangers) en een voor draadloze netwerken geschikt apparaat heeft, meeliften op uw internetverbinding – of mogelijk zelfs toegang krijgen tot uw pc's. Vergeet dus niet om encryptie (versleuteling) in te schakelen tijdens de installatie van uw netwerk.

4.1a   *Ik weet niet zeker welke encryptie ik moet gebruiken*

Er zijn twee hoofdtypen encryptie: wep *(Wired Equivalent Privacy)* en wpa *(Wi-Fi Protected Access)*. Beide gebruiken een systeem dat voorkomt dat een willekeurig apparaat zonder de correcte authenticatiesleutel toegang krijgt tot het netwerk.

wpa is nieuwer en iets krachtiger, aangezien het de encryptiesleutel vervormt. wep is niet langer veilig genoeg, net als apparaten die geen wpa2 aankunnen. Een apparaat dat alleen wep of wpa1 aankan, kunt u beter niet meer gebruiken. Probeer de firmware (die vindt u op de website van de fabrikant) te upgraden. Als dat niet kan, schaf dan een moderner apparaat aan.

De eerste stap voor het beveiligen van uw netwerk is het inschakelen van encryptie op uw draadloze router. Hiervoor gaat u naar het configuratiehulpprogramma, zoekt u de beveiligingsinstellingen op en volgt u de instructies die u hier krijgt.

Maak vervolgens een aantekening van de autorisatiesleutel en typ deze in wanneer hierom gevraagd wordt tijdens het installeren van uw andere draadloze apparaten.

Alle draadloze netwerken hebben een naam (soms aangeduid als de ssid) die u kunt wijzigen tijdens het instellen van de router. Wijzig de naam tot iets wat geen aanwijzingen geeft over uw identiteit of het type router dat u gebruikt.

Geef het dus niet de naam van uw router. U kunt de router ook zo instellen dat deze de netwerknaam (of ssid) niet openbaar maakt (*Broadcast*-functie uit). Dit maakt het voor iemand die op zoek is naar een netwerk lastiger om er verbinding mee te maken. Aangezien u

Router

Een apparaat dat de route aangeeft van gegevens tussen computers en andere apparaten. Routers kunnen computers met elkaar verbinden of een computer verbinden met internet.

niet al te vaak nieuwe apparaten zult moeten verbinden met uw netwerk, kunt u overwegen de optie waarmee u de ssɪᴅ openbaar maakt,
uit te schakelen.

4.1b Hoe beveilig ik mijn netwerk?

De meeste draadloze thuisnetwerken gebruiken een router, waartoe
u toegang krijgt via een voor draadloos gebruik geschikte computer en een webbrowser. U kunt de browser gebruiken om toegang
te krijgen tot uw router en instellingen aan te passen, waaronder
de beveiligingsinstellingen. Elke router is anders, dus verwijzen we
u voor de beveiligingsinstellingen naar de met de router meegeleverde handleiding. Enkele algemene instellingen worden hierna
besproken.

Start uw webbrowser en typ het adres van de router in de adresbalk
in. Dit adres is een nummer dat u kunt vinden in de handleiding
van uw router. Bij veel merken is het adres dat u moet invoeren
192.168.1.1. of 192.168.0.1. Druk op *Enter*.

U ziet nu een pagina die lijkt op een webpagina, maar afkomstig is
van de router. Via deze pagina kunt u wijzigingen aanbrengen in de
router.

Om het standaard ingestelde wachtwoord te wijzigen, klikt u op
het tabblad *Administration* (of *Beheer* of iets dergelijks, dit verschilt
per router). Veel routers zijn voorzien van 'zwakke' wachtwoorden
als 'admin', die eenvoudig te raden zijn. Als iemand toegang weet te
krijgen tot uw netwerk, kan diegene het wachtwoord van de router
raden als dat niet is aangepast en vervolgens uw netwerkinstellingen
wijzigen.

Ten slotte moet u uw netwerk versleutelen (encryptie). De handleiding van uw router toont u hoe u dit doet. Bedenk dat het oude wᴇᴘ
onveilig is en het nieuwe wᴘᴀ2 uw netwerk wel goed beschermt.

4.1c Hoe kan ik mijn bestanden veilig delen met andere computers?

Zodra uw netwerk is ingesteld, dient u op alle computers in te stellen dat zij bestanden en mappen met elkaar delen. Zo doet u dit in
Windows 7:

1 Klik op de Startknop **en dan op** Computer**. Rechtsklik op de map met
daarin de bestanden die u wilt delen en selecteer** Delen met**. Het volgende pop-upmenu geeft u een keus uit verschillende netwerkmogelijk-
heden, zoals** Thuisgroep**. Kies de groep waarmee u wilt delen, waarbij u
kunt kiezen uit** Lezen**, waarmee anderen alleen in de map kunnen kijken,**

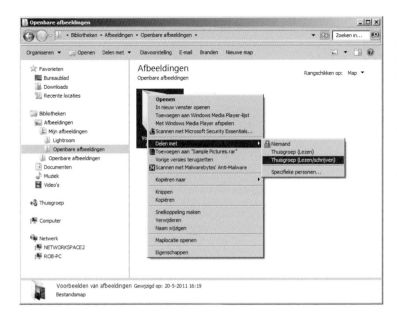

of Lezen/schrijven, wat anderen ook de mogelijkheid geeft bestanden toe te voegen aan de map.

❷ U kunt toegang verlenen aan een complete harde schijf, maar om veiligheidsredenen raden we dit af. Wilt u het toch doen, blader dan naar Mijn Computer, rechtsklik op de drive en volg dezelfde procedure als zojuist geschetst.

4.1d Hoe weet ik of een draadloos netwerk veilig is?

Er is geen manier om volledige veiligheid te garanderen op een draadloos netwerk. Er zijn wel voorzorgsmaatregelen te nemen die u kunnen helpen de veiligheidsrisico's te minimaliseren bij het gebruik ervan.

- Maak indien mogelijk alleen verbinding met draadloze netwerken die om een netwerkbeveiligingssleutel vragen of een andere vorm van beveiliging hebben, zoals een certificaat. De informatie die via deze netwerken wordt verzonden is versleuteld, waardoor uw computer wordt beschermd tegen ongeoorloofde toegang. Wanneer u beschikbare draadloze netwerken ziet bij *Verbinding met een netwerk maken*, worden onbeveiligde netwerken aangeduid met een geel schild.

- Lees voordat u verbinding maakt met een netwerk dat door een leverancier van draadloos internet wordt aangeboden, zoals een openbaar netwerk in een restaurant of op een luchthaven, de privacyverklaring zorgvuldig door. Zorg dat u begrijpt welke bestanden eventueel op uw computer worden opgeslagen en wat voor soort informatie de netwerkaanbieder van uw computer haalt.

- Als u verbinding maakt met een onbeveiligd netwerk, moet u beseffen dat iemand die beschikt over de juiste hulpmiddelen alles kan zien wat u doet. Inclusief de websites die u bezoekt, documenten waaraan u werkt en de gebruikersnamen en wachtwoorden die u gebruikt. Maak geen verbinding met zo'n netwerk als u werkt aan bedrijfsgevoelige informatie of een beveiligd bedrijfsnetwerk bezoekt.

Tip

Uw router kan u allerlei informatie verschaffen over waar hij mee bezig is. Klik op het tabblad *Status* op de startpagina van de router om bijvoorbeeld te zien of uw internetverbinding actief is en op welke snelheid, en welke computers ermee verbonden zijn.

4.2 Ik krijg geen verbinding met mijn netwerk

Thuisnetwerken zijn heel gewoon geworden. Door zo'n netwerk is het eenvoudig om bestanden uit te wisselen tussen computers en documenten af te drukken op netwerkprinters.

4.2a Ik kan geen verbinding maken met mijn thuisnetwerk
Start de *Netwerk Probleemoplosser* om de meest gangbare netwerkproblemen met Windows 7 op uw computer op te sporen en op te lossen. Zie pagina 87 voor het gebruik van de *Netwerk Probleemoplosser*.

Als u net nieuwe software heeft geïnstalleerd, kan dit ervoor zorgen dat sommige van uw netwerkinstellingen zijn veranderd. Zo weet u of dit het geval is:

Pas op

Geef uw netwerk een naam die uw identiteit, locatie of het merk van de router niet onthult.

1 **Klik op de** Startknop **en dan op** Configuratiescherm**. Typ in het zoekvak 'netwerk'. Klik onder het** Netwerkcentrum **op** Netwerkverbindingen weergeven**. Rechtsklik op de verbinding en klik dan op** Eigenschappen **in het popupmenu. Controleer hier of uw netwerkinstellingen zijn veranderd.**

2 **Zorg, als u een thuisnetwerk gebruikt met een thuisgroep, dat de computer waarmee u verbinding probeert te krijgen, is toegevoegd aan die thuisgroep als een erkende computer. Dat gaat zo:**

3 **Klik op de** Startknop **en dan op** Configuratiescherm**. Typ in het zoekvak 'thuisgroep'. Klik op** Opties voor thuisgroepen en delen selecteren**, en klik op de knop** Een thuisgroep maken**. Zie pagina 84 voor hulp bij het maken van een thuisgroep.**

4 **Zorg ervoor dat u het delen van bestanden en printers heeft ingeschakeld op uw thuisnetwerk. Dat doet u zo:**

5 **Klik op de** Startknop **en dan op** Configuratiescherm**. Typ in het zoekvak 'thuisgroep'. Vink in het gedeelte** Bibliotheken en printers delen **de items aan die u wilt delen.**

6 **Controleer uw router, vooral als het om een iets ouder exemplaar gaat. Nieuwe netwerkfuncties in Windows 7 kunnen ervoor zorgen dat oudere routers niet werken op nieuwere computers. Om erachter te**

komen of uw router compatibel is, downloadt u de Internet Connectivity Evaluation Tool via www.microsoft.com/windows/using/tools/igd op een andere computer. Installeer de tool vervolgens op de computer waarmee u geen verbinding krijgt met internet.

⑧ Controleer of alle kabels, zoals uw ethernetkabel (de netwerkkabel), stevig zijn aangesloten op zowel uw computer als de router. Ontkoppel ze bij twijfel en sluit elke kabel opnieuw aan.

4.2b *Ik kan geen verbinding maken met andere computers in het netwerk*

Als u geen verbinding kunt maken met andere computers in het netwerk of geen bestanden en printers met ze kunt delen, kan het zijn dat in Windows 7 *Netwerkdetectie* is uitgeschakeld.

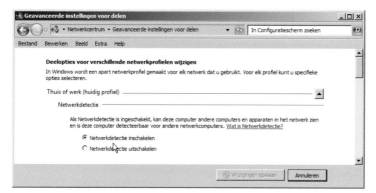

① Klik op de Startknop en dan op Configuratiescherm. Typ 'netwerk' in het zoekvak van het configuratiescherm. Klik bij de gevonden resultaten op Netwerkcentrum. Klik in het linkerpaneel op Geavanceerde instellingen voor delen wijzigen.

② Klap indien nodig het netwerkprofiel uit door op de pijl te klikken. Klik vervolgens op Netwerkdetectie inschakelen en daarna op Wijzigingen opslaan. Eventueel dient u hier uw administratorwachtwoord in te voeren.

4.2c *Ik kan geen bestanden delen op mijn thuisnetwerk*

① Klik op de Startknop en daarna op Configuratiescherm. Typ 'netwerk' in het zoekvak van het configuratiescherm en klik vervolgens op Netwerkcentrum. Klik in het linkerpaneel op Geavanceerde instellingen voor delen wijzigen.

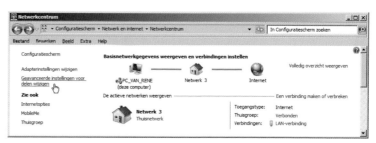

❷ **Klap indien nodig het netwerkprofiel uit door op de pijl te klikken. Klik vervolgens op** Bestands- en printerdeling inschakelen, **en daarna op** Wijzigingen opslaan. **Mogelijk moet u hier uw administratorwachtwoord invoeren.**

4.2d Ik wil bestanden delen door gebruik te maken van mijn openbare mappen

❶ **Klik op de** Startknop **en daarna op** Configuratiescherm. **Typ 'netwerk' in het zoekvak van het configuratiescherm en klik vervolgens op** Netwerkcentrum. **Klik in het linkerpaneel op** Geavanceerde instellingen voor delen wijzigen.

Ethernet

Een manier om computers met elkaar te verbinden door het gebruik van kabels – een algemeen voorkomende methode voor het netwerken met computers.

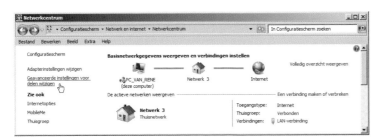

❷ **Klap zonodig het netwerkprofiel uit door op de pijl te klikken. Klik vervolgens op** Delen inschakelen, zodat iedereen met netwerktoegang bestanden in de openbare mappen kan lezen en schrijven **en daarna op** Wijzigingen opslaan.

4.2e Ik kan een gedeelde map niet zien op de computer waarmee ik verbinding maak

Als u erin slaagt toegang te krijgen tot een andere computer op uw netwerk, maar een gedeelde map niet kunt zien, moet u in ieder geval een gedeelde map creëren op de computer waar u verbinding mee maakt. Neem contact op met de eigenaar van de computer om ervoor te zorgen dat deze een gedeelde map maakt.

4.2f Hoe maak ik een thuisgroep in Windows 7?

Windows 7 biedt de mogelijkheid om een speciaal netwerk te creëren, een thuisgroep. Dit is meestal uw beveiligde draadloze thuisnetwerk, dat een hoge mate van vertrouwen vergt tussen apparaten op dat netwerk. Dit maakt het eenvoudiger om documenten, muziek en foto's met elkaar te delen.

U dient een thuisgroep te voorzien van een wachtwoord. Vervolgens gebruikt u dit wachtwoord om andere computers toegang te geven tot uw thuisgroep. Zo maakt u een thuisgroep:

1 **Klik op de** Startknop **en dan op** Configuratiescherm. **Typ in het zoekvak 'thuisgroep' en klik in de lijst met resultaten op** Thuisgroep.

Thuisgroep
Opties voor thuisgroepen en delen selecteren
Printers delen

2 **Klik op** Een thuisgroep maken **en volg de instructies op het scherm.**

3 **Als er eerder een thuisgroep is gemaakt op uw netwerk, klikt u in plaats van** Een thuisgroep maken **op** Nu lid worden **en volgt u de instructies op het scherm.**

4.3 Ik krijg geen verbinding met internet

Geen verbinding kunnen krijgen met internet kan heel vervelend zijn, vooral omdat u geen toegang heeft tot onlinehulp en forums om het probleem op te lossen.

4.3a *Help! Ik krijg geen verbinding met internet*
Probeer de volgende simpele stappen om de meest waarschijnlijke oorzaken op te sporen en te verhelpen:

1 **Controleer of alle kabels goed zijn aangesloten, dus onder andere of uw modem is aangesloten op een telefoonaansluiting of dat uw ethernetkabel stevig is aangesloten op zowel uw computer als de router. Ontkoppel de kabels bij twijfel en sluit ze opnieuw aan.**

2 **Start de Netwerk Probleemoplosser om de meest waarschijnlijke Windows 7-problemen met uw computer op te sporen en te verhelpen. Zie pagina 87 voor het gebruik van de Netwerk Probleemoplosser.**

3 **Controleer uw router, vooral als deze al wat ouder is. Nieuwe netwerkfuncties in Windows 7 kunnen ervoor zorgen dat oudere routers niet werken met nieuwe computers. Om erachter te komen of uw router compatibel is, downloadt u de Internet Connectivity Evaluation Tool via www. microsoft.com/windows/using/tools/igd op een andere computer. Installeer het programma vervolgens op de computer waarmee u geen verbinding kunt krijgen met internet.**

4 **Schakel uw modem en router uit, en vervolgens ook uw computer. Haal ook de stekkers uit de stopcontacten, zodat alle lampjes op de voorzijde van de apparaten uit zijn. Wacht 30 seconden, sluit daarna eerst uw modem aan en zet deze aan. Sluit dan de router aan en zet deze aan. Sluit dan pas de computer aan en zet deze aan. Deze herstart kan sommige problemen oplossen die de apparatuur beïnvloeden.**

4.3b *Ik krijg geen verbinding met internet via mijn kabel- of* ADSL-*verbinding*
De meeste woningen zijn met internet verbonden door middel van een modem die verbinding maakt via een kabel- of ADSL-breedbandverbinding. Zelfs als u een draadloos thuisnetwerk heeft, loopt de verbinding tussen uw modem en internet waarschijnlijk via een kabeltje (kabelinternet of ADSL). Hier volgen enkele basiscontroles die u kunt nalopen als u geen verbinding kunt krijgen:

1 **Zorg ervoor dat uw kabel- of ADSL-modem aan staat.**
2 **Controleer de lampjes op uw modem. Deze kunnen namelijk een bepaald probleem aanduiden, zoals een verbroken verbinding of het ontbreken van stroomtoevoer naar de modem. Zie hiervoor de handleiding van uw modem.**

Forum

Een onlinemededelingenbord voor chatten, het stellen van vragen en het uitwisselen van meningen.

Modem

Een apparaat dat een computer in staat stelt informatie te versturen via een telefoonlijn. Vaak is de router ingebouwd.

3 Zorg ervoor dat de ethernetkabel op de juiste manier is aangesloten op de modem en de computer. Haal de kabel eruit en sluit hem voor de zekerheid nogmaals aan.

4 Controleer bij uw internetprovider (ISP) of er geen storing is in uw regio. Is dit niet het geval, controleer dan uw gebruikersaccount en toe-gangsgegevens bij uw provider om er zeker van te zijn dat u de juiste inloggegevens gebruikt.

5 Een technisch probleem – genaamd 'Winsock-beschadiging' – kan problemen veroorzaken met de internettoegang. Om dit op te lossen, start u de Netwerk Probleemoplosser (zie pagina 87).

6 Informeer bij uw provider of deze gebruikmaakt van MAC-adresfil-ters. Zo ja, dan moet uw provider het MAC-adres van uw router of modem toevoegen aan de lijst met apparaten die toegang krijgen tot het net-werk.

4.3c Ik krijg geen verbinding met internet via een inbelmodem

Hoewel bijna alle woningen zijn overgestapt op breedband, worden er soms nog langzamere inbelmodems gebruikt die internettoegang krijgen via een standaardtelefoonlijn. Hier zijn enkele mogelijke oplossingen voor als u geen verbinding krijgt.

1 De meestvoorkomende fout is het bellen van het verkeerde tele-foonnummer – controleer het juiste nummer bij uw provider.

2 Controleer of de telefoonlijn en telefoonaansluiting werken door de modem los te koppelen en een werkende telefoon aan te sluiten en te controleren of u een beltoon krijgt.

3 Controleer de modemkabel die de modem verbindt met de telefoon-aansluiting. Om te testen of deze werkt, sluit u een werkende telefoon aan op de 'telefoon'-aansluiting van uw modem. Controleer of u een bel-toon hoort.

4 Schakel uw modem en computer uit en herstart ze na 30 seconden. Soms wordt een inbelverbinding door de provider uitgeschakeld als u deze gedurende enige tijd niet heeft gebruikt. Door deze herstart wordt de verbinding weer geactiveerd.

5 Controleer of u de telefoonkabel die uit de telefoonaansluiting komt heeft aangesloten op de 'lijn'-aansluiting van de modem en niet op de 'telefoon'-aansluiting.

6 Als u een wisselgesprek heeft geactiveerd via uw telefoonaanbieder, moet u dit uitschakelen en het nogmaals proberen.

7 Controleer of iemand anders in huis de telefoon gebruikt, want dat kan uw internetverbinding verbreken.

4.3d Ik krijg geen draadloze verbinding met internet

Probeer altijd eerst een verbinding te krijgen via een ethernetkabel –
de meeste routers en computers ondersteunen dit, en het gaat snel
en eenvoudig. Niet alle routers beschikken over draadloze mogelijkheden – mogelijk dient u een nieuwe router te kopen of contact op te
nemen met uw provider om te zien of die een upgrademogelijkheid
biedt.

De beste plek om te starten met het oplossen van verbindingsproblemen is Windows' Netwerk Probleemoplosser. Deze voorziet u van
informatie over uw netwerkverbinding – bijvoorbeeld of uw computer is verbonden met de router en of u toegang heeft tot internet.

Als u voorheen wel in staat was draadloos verbinding te maken met
internet, kan een reset van de router het probleem vaak oplossen.
Probeer de router 30 seconden uit te schakelen en hem dan weer aan
te zetten. Klik als alternatief met de rechtermuisknop op het pictogram van uw internetverbinding in de taakbalk en klik op *Problemen
oplossen*.

4.4 Netwerk Probleemoplosser

Netwerken lijken heel ingewikkeld en als er een probleem is, kan het
lastig zijn een oplossing te vinden. Windows 7 bevat een handige
Netwerk Probleemoplosser die problemen kan opsporen en ze zelfs
kan verhelpen.

4.4a Hoe vind ik de Netwerk Probleemoplosser?

Windows 7 hoort u automatisch de optie te bieden om de Netwerk
Probleemoplosser te gebruiken zodra het een netwerkprobleem aantreft. U kunt hem ook vinden via de *Startknop* of een van de onderstaande opties.

Foutmeldingen Als u een netwerkfoutmelding ziet, zoals 'Server
niet beschikbaar', zou de melding ook de optie moeten bevatten
om de Netwerk Probleemoplosser te gebruiken. Klik op de woorden
'*Probleemoplossing*' of '*Diagnose*' in de foutmelding om de Netwerk
Probleemoplosser uit te voeren.

Meldingsgebied Klik met de rechtermuisknop op het *Netwerk*-
pictogram in het meldingsgebied van de taakbalk en kies vervolgens
Problemen oplossen in het pop-upmenu.

Tip

Er zijn veel andere
mogelijke redenen
waarom uw installatie
niet werkt. Twee goede
informatiebronnen zijn
de Microsoftwebsite voor
Windows-gerelateerde
problemen en de website
of technische ondersteu-
ning van de fabrikant van
uw netwerkapparatuur.
Raadpleeg deze eerst
voordat u veel wijzigin-
gen aanbrengt aan uw
systeem.

4.4b   Hoe stel ik een diagnose bij een netwerkprobleem?

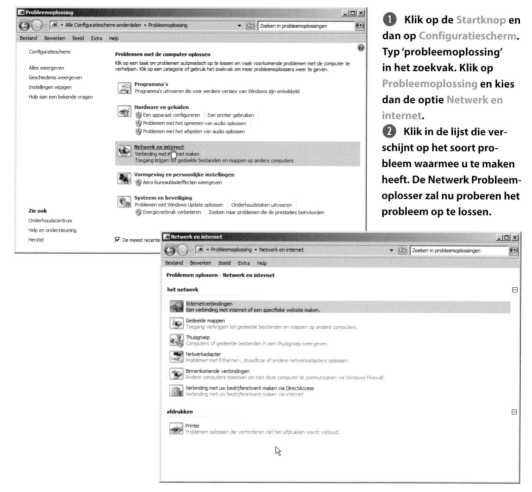

① **Klik op de** Startknop **en dan op** Configuratiescherm. **Typ 'probleemoplossing' in het zoekvak. Klik op** Probleemoplossing **en kies dan de optie** Netwerk en internet.

② **Klik in de lijst die verschijnt op het soort probleem waarmee u te maken heeft. De Netwerk Probleemoplosser zal nu proberen het probleem op te lossen.**

4.4c   Hoe los ik problemen op met de Netwerk Probleemoplosser?

Het goede nieuws is dat de meeste basisproblemen kunnen worden opgelost door de Netwerk Probleemoplosser. Denk bijvoorbeeld aan uw netwerkverbinding die per ongeluk is uitgeschakeld of uw netwerkadapter die niet ontwaakt uit de slaapstand.

Als het probleem niet kan worden opgelost door de Netwerk Probleemoplosser, wordt een rapport gemaakt – een gebeurtenislogboek – met daarin details over wat er gevonden is, plus alle technische gegevens. Dit kan handig zijn als uw computer moet worden gerepareerd of als u een technische helpdesk moet bellen. Zo bekijkt u de gebeurtenislogboeken:

1 **Klik op de**
Startknop **en dan op**
Configuratiescherm.
Klik in het configura-
tiescherm onder Sys-
teem en beveiliging
op Problemen detec-
teren en oplossen.
2 **Klik op** Geschiedenis **weergeven in**
het linkerpaneel.
Zoek het gebeur-
tenislogboek dat
u nodig heeft en
rechtsklik erop. Klik
op Bekijk details.

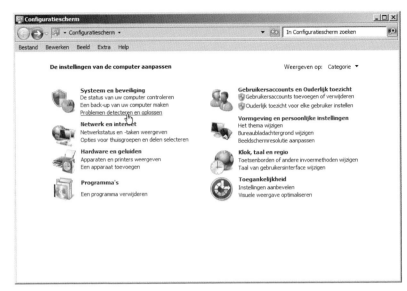

Dit kan worden gebruikt door een netwerk- of computerexpert voor
nadere diagnose van een lastiger probleem.

4.5 Hoe kan ik sneller surfen op internet?

Lijkt uw breedbandverbinding traag? Probeer dan deze tips om het
meeste uit uw onlinesnelheid te halen.

4.5a *Een nieuwe breedbandrouter*
Als u toegang krijgt tot internet via een draadloos netwerk, kunt
u een langzamere breedbandverbinding hebben dan wanneer u
rechtstreeks verbinding maakt via een router of modem. Verbinding
maken via ethernet of het upgraden van uw draadloze breedband-
router kan een behoorlijk verschil maken in de snelheid van uw
verbinding.

4.5b *Beveilig uw draadloze breedbandverbinding*
Als uw draadloze breedbandnetwerk niet beveiligd is, kunnen uw
buren er ook op inloggen en meeliften op uw breedbandverbinding.
Dit heeft invloed op uw eigen bandbreedte. Beveilig uw netwerk door
de beveiligingsinstellingen te gebruiken binnen de browser van uw
router (zie pagina 78).

4.5c *Grote schoonmaak voor uw webbrowser*
Elke keer dat u via uw webbrowser toegang heeft tot een webpagina,
slaat de browser deze op in zijn cache. Door deze browsercache regel-

Cache

De manier waarop
internetbrowsers onlangs
bezochte pagina's, afbeeldingen en andere data
opslaan, zodat ze de vol-
gende keer dat ze nodig
zijn snel kunnen worden
getoond.

Mbps
(Megabits per seconde)

De eenheid om de overdrachtsnelheid van gegevens aan te duiden, vaak gebruikt wanneer wordt gesproken over de snelheid van breedband-internet.

matig op te schonen, zal uw browser efficiënter gaan functioneren en daarmee pagina's sneller tonen. Zo doet u dit voor de verschillende soorten browsers:

Internet Explorer 9

1 **Klik in het menu** Extra **op** Internetopties.

2 **Selecteer het tabblad** Algemeen.

3 **Vink onder** Browsegeschiedenis **de optie** Browsegeschiedenis verwijderen bij afsluiten **aan. Klik op** OK.

Firefox 4

1 **Selecteer in het menu** Extra **de optie** Recente geschiedenis wissen.

2 **Selecteer in het uitklapmenu van de** Te wissen tijdsperiode **de gewenste periode – dit kan bijvoorbeeld 'Vandaag' zijn, maar ook slechts het 'Laatste uur'. Of kies als u de hele cache wilt wissen** Alles.

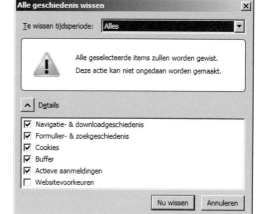

3 **Klik op het pijltje omlaag naast** Details **en vink aan welke geschiedenisonderdelen u wilt wissen. Klik ten slotte op** Nu wissen.

Safari

1 **Selecteer in de menubalk onder** Bewerken **de optie** Cachebestanden verwijderen. **Eventueel moet u de menubalk eerst zichtbaar maken door te klikken op het** Instellingen**-pictogram (tandwiel rechtsboven) en dan** Toon menubalk **te kiezen.**

2 **Klik als om een bevestiging wordt gevraagd op** Verwijder **om de cachebestanden te verwijderen.**

Google Chrome

1 **Klik op het pictogram** Gereedschap **in de werkbalk van de browser.**

2 **Selecteer** Extra **en kies in het vervolgmenu** Browsegegevens wissen....

3 **Vink in het venster dat nu verschijnt aan wat u precies wilt wissen, en voor welke periode. Klik ten slotte op** Browsegegevens wissen **om te bevestigen.**

4.6 Hoe verander ik van breedbandprovider?

Praat eerst met uw huidige aanbieder voordat u besluit over te stappen. Als u van breedbandaanbieder verandert voordat uw eventuele minimale contractduur is afgelopen, kan dit een probleem zijn. Zolang u niet meer met die minimale contractduur te maken heeft, zal uw breedbandaanbieder er veel aan gelegen zijn om u als klant te behouden. Mogelijk zal hij u daarom een veel aantrekkelijker aanbod doen, zodat u helemaal niet meer hoeft over te stappen.

Overigens is in de nieuwe Telecomwet geregeld dat u uw abonnementen (waaronder ook internet) voortaan eenvoudiger kunt opzeggen na afloop van de eerste contractperiode. U kunt dan per maand opzeggen, zonder ongemerkt weer een jaar vast te zitten aan een automatisch verlengd abonnement. Dit geldt alleen bij stilzwijgende verlenging. Als u zelf akkoord gaat met een expliciet voorstel van uw aanbieder vervalt daarmee de mogelijkheid om per maand op te zeggen.

De procedure die komt kijken bij het veranderen van internetaanbieder varieert.

4.6a Overstap van ADSL naar kabel of andersom
Omdat we hier te maken hebben met twee verschillende soorten verbindingen, is dit een eenvoudige overstap. Eventueel kunt u een tijdje op twee manieren tegelijk internetten, door de nieuwe verbinding te laten ingaan voordat de oude wordt opgeheven. Op die manier zit u in elk geval nooit tussendoor zonder internet.

4.6b Overstap van de ene naar de andere kabelaanbieder
Dit is niet mogelijk, aangezien u bij kabelbreedband altijd afhankelijk bent van de kabelaanbieder in uw regio.

4.6c Overstap van de ene naar de andere ADSL-aanbieder
Omdat er maar een (A)DSL-signaal tegelijk actief kan zijn op uw aansluiting, moeten de aanbieders met elkaar samenwerken. Volgens de wet moet 95% van de overstappen binnen 24 uur zijn gerealiseerd, maar dat lukt volgens ons onderzoek slechts bij 75%. Vaak gaat de overstap gelukkig vlekkeloos.

4.7 Ik ben mijn netwerkwachtwoord kwijt

Als u een nieuw apparaat wilt aansluiten op een draadloos thuisnetwerk, maar het wachtwoord bent vergeten waarmee u apparatuur

Tip

Internetsnelheden zullen sneller lijken als u online slechts een ding tegelijk doet. Hoe meer u online probeert te doen, des te langer elke individuele taak duurt. Als u in de achtergrond bijvoorbeeld een tv-uitzending aan het bekijken bent via *Uitzending gemist*, maakt dit uw internetsnelheid mogelijk lager als u intussen van de ene naar de andere webpagina surft.

Tip

Vergelijk alle providers, stap meteen over en bespaar geld: maak gebruik van onze Overstapservice Internet. Alleen voor leden van de Consumentenbond. Kijk op www.consumenten bond.nl.

toevoegt aan het netwerk, moet u het wachtwoord proberen te achterhalen of uw router resetten en voorzien van een nieuw wachtwoord.

① **Kijk bij een ander aangesloten apparaat – zoals een andere computer – of dit het wachtwoord laat zien in zijn netwerkinstellingen. In Windows 7:**

② **Klik op de** Startknop **en dan op** Configuratiescherm**. Klik daar onder** Netwerk en internet **op** Netwerkstatus en -taken weergeven**. Klik in het gedeelte** De actieve netwerken weergeven **op de naam van het draadloze netwerk, naast** Verbindingen**.**

Saturnus2GHZ
Thuisnetwerk

Toegangstype: Internet
Thuisgroep: Verbonden
Verbindingen: Draadloze netwerkverbinding (Saturnus2GHZ)

③ **Klik in het venster dat nu verschijnt op** Eigenschappen van draadloos netwerk **en dan in het volgende venster op het tabblad** Beveiliging**. Vink** Tekens weergeven **aan om het wachtwoord te onthullen.**

Als u het wachtwoord nu nog niet kunt zien, moet u de router resetten. Zie de handleiding van uw router voor specifieke instructies. Op de meeste routers dient echter enkele seconden een kleine, verscholen knop te worden ingedrukt om hem terug te zetten naar de oorspronkelijke fabrieksinstellingen.

④ **Installeer de router en aangesloten apparaten zoals aangegeven in de handleiding van de router.**

5 INTERNET EN E-MAIL

Door alle stappen in dit hoofdstuk
te lezen en te volgen, leert u:

- veelvoorkomende problemen met
  internetbrowsers te verhelpen
- problemen op te lossen met het
  afdrukken van internetpagina's
- problemen met het verzenden van e-mail op te
  lossen en ongewenste e-mail tegen te houden

5.1 Mijn internetbrowser werkt niet goed

Als u merkt dat Microsoft Internet Explorer niet correct werkt, bijvoorbeeld omdat websites traag of niet worden geladen, kunt u verschillende stappen ondernemen om te zien of u dit kunt verhelpen.

5.1a Uitschakelen van invoegtoepassingen

Internet Explorer-invoegtoepassingen kunnen nieuwe functies toevoegen aan uw internetbrowser, zoals een optie om 3D-websites te bekijken. Soms kunnen ze ook problemen veroorzaken binnen Internet Explorer. Start Internet Explorer zonder invoegtoepassingen om te zien of dit iets verbetert:

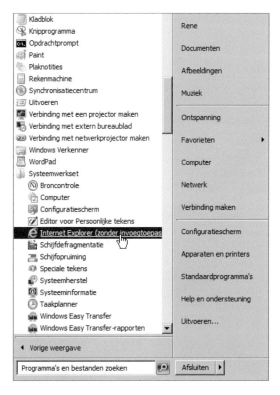

❶ **Klik op de** Startknop **en dan op** Alle Programma's. **Klik vervolgens op** Bureau-accessoires, **dan op** Systeemwerkset **en ten slotte op** Internet Explorer (zonder invoegtoepassingen).

❷ **Als dit werkt, ga dan naar pagina 106 voor hulp bij het gebruik van de invoegtoepassingenbeheerder. Hiermee kunt u individuele invoegtoepassingen in- of uitschakelen totdat u de toepassing vindt die de problemen veroorzaakt.**

5.1b Start het hulpprogramma voor het verwijderen van schadelijke software

Een volgende aannemelijke oorzaak voor Internet Explorer-problemen is een virus of andere kwaadaardige software. Voor meer advies over virussen, zie pagina 126. U kunt ook het Microsoft-programma voor het verwijderen van schadelijke software downloaden. Ga naar www.microsoft.com om dit hulpprogramma te downloaden en uw computer te controleren op virussen en schadelijke software.

5.1c Reset Internet Explorer

Als het probleem niet wordt opgelost door het uitschakelen van invoegtoepassingen of door het uitvoeren van het hulpprogramma voor het
verwijderen van schadelijke software, kunt u nog proberen Internet
Explorer te resetten naar de oorspronkelijke instellingen. Meer gedetail-
leerde hulp bij het resetten van Internet Explorer vindt u op pagina 103.

**① Sluit Internet Explorer als u het nog open
heeft.**
**② Klik op de Startknop en dan op Internet
Explorer.**
**③ Klik op de knop Extra en dan op Internet-
opties. Klik in het tabblad Geavanceerd op
Opnieuw instellen. Er verschijnt nu een venster
waarin u gevraagd wordt of u dit zeker weet.**
**④ Zet een vinkje bij Persoonlijke instellingen
verwijderen als u ook de browsegeschiedenis,
zoekmachines, accelerators, startpagina's en
andere persoonlijke instellingen wilt resetten.**

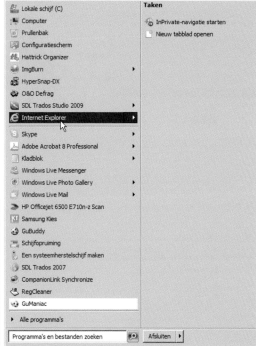

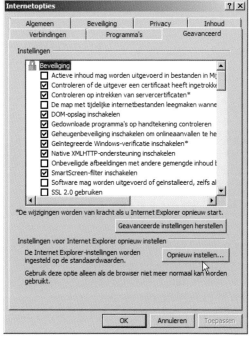

**⑤ Klik op
Opnieuw instellen.
Sluit Internet Explo-
rer af en herstart
het programma
zoals in stap 2.
Alle standaard-
instellingen zijn nu
teruggezet.**

Tip

Door Internet Explorer te
resetten, kunt u blijvend
informatie verliezen. Zie
pagina 102 om volledig
te begrijpen wat er wordt
verwijderd tijdens een
reset.

5.1d Update Internet Explorer

Software-updates kunnen problemen met Internet Explorer oplossen
en ook verhelpen dat software schade kan aanbrengen aan Internet

Explorer of de browser kan vertragen. Controleer altijd of u de nieuwste versie van Internet Explorer heeft draaien (op het moment van
schrijven versie 9). Voor meer informatie over software-updates, zie
pagina 183.

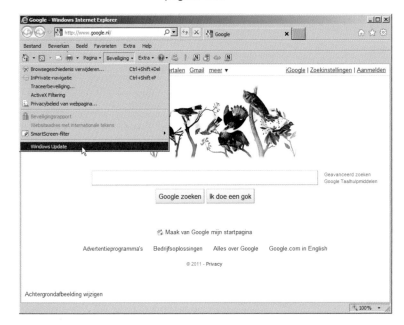

① **Start** Internet
Explorer.
② **Klik op de menu-
balk op** Beveiliging
en dan op Windows
Update. **Volg de instructies op het scherm om
Internet Explorer bij
te werken als er een
nieuwe versie is.**

5.2 Veelvoorkomende foutmeldingen van websites

Surfen op internet gaat meestal zonder stress, maar soms weigeren
websites te laden of geven ze vreemde meldingen op het scherm
die u niet erg duidelijk uitleggen wat er precies mis is. Sommige
veelvoorkomende foutmeldingen die in Internet Explorer opduiken,
staan hieronder uitgelegd. Ook geven we enkele suggesties voor
oplossingen.

5.2a *Kan de internetpagina niet vinden (HTTP 400)*
Wat het betekent Er is een probleem met het adres van de website,
maar Internet Explorer kan wel verbinding maken met de webserver.
Wat u kunt doen Probeer het adres van de website nogmaals in te
typen nadat u het heeft gecontroleerd.

5.2b *Deze website kan niet worden weergegeven (HTTP 403)*
Wat het betekent Internet Explorer kan verbinding maken met de
website, maar heeft geen toestemming om de pagina te tonen.
Wat u kunt doen Als u wel toegang behoort te hebben tot de

internetpagina, neemt u contact op met de eigenaar om uw internetbrowser toestemming te geven de pagina te bekijken. Als het een openbare website is, kan het zijn dat de internetpagina niet correct is ingesteld en een fout bevat die voorkomt dat hij wordt getoond. Het kan ook zijn dat de internetpagina niet meer bestaat. Probeer het internetadres nogmaals in te typen in Internet Explorer.

5.2c   Kan de internetpagina niet vinden (HTTP 404)

Wat het betekent De specifieke internetpagina is niet te vinden. Dit wordt meestal veroorzaakt doordat de pagina verwijderd is door de eigenaar van de website of doordat de pagina op dit moment niet beschikbaar is.
Wat u kunt doen Probeer het op een later tijdstip nogmaals en controleer of u wel het juiste webadres intypt.

5.2d   Kan de internetpagina niet weergeven (HTTP 405)

Wat het betekent Internet Explorer heeft problemen met het naar uw computer downloaden van de internetpagina.
Wat u kunt doen Probeer contact op te nemen met de eigenaar van de website om deze te attenderen op het probleem, aangezien het meestal een probleem met de pagina zelf betreft.

5.2e   Kan deze indeling van de internetpagina niet lezen (HTTP 406)

Wat het betekent Dit is een zeldzame foutmelding. Het betekent dat Internet Explorer de internetpagina kan downloaden, maar niet weet hoe de indeling ervan moet worden weergegeven, of dat Internet Explorer de indeling niet kent.
Wat u kunt doen Als u een document probeert te bekijken, zoals een Microsoft Word-bestand, dient u ervoor te zorgen dat u de juiste bestandsextensie heeft toegevoegd, zoals doc(x), aan het eind van het webadres.

5.2f   De internetpagina kan niet worden weergegeven omdat het te druk is op de website (HTTP 408 of 409)

Wat het betekent De pagina is erg populair en heel veel mensen proberen hem tegelijk te bekijken, met als gevolg een flinke vertraging bij het weergeven. Of de webserver is erg traag.
Wat u kunt doen Probeer de website nog eens op een ander tijdstip te bekijken.

5.2g   De internetpagina bestaat niet meer (HTTP 410)

Wat het betekent Internet Explorer kan communiceren met de webserver, maar de internetpagina is permanent uitgeschakeld door de eigenaar van de website.

Bestandsextensie

De letters die na een bestandsnaam komen. Deze geven aan wat voor soort document het is en met welk type programma u het kunt openen – een Microsoft Word-document eindigt bijvoorbeeld op doc(x).

Wat u kunt doen Controleer het adres van de pagina en probeer het nogmaals. Of neem contact op met de eigenaar van de website om te zien of de pagina inderdaad is uitgeschakeld.

5.3   Veelvoorkomende browserproblemen

5.3a   *Wanneer ik online een bestelling probeer te doen, krijg ik de melding 'Het beveiligingscertificaat is verlopen of nog niet geldig'. Is het veilig om verder te gaan?*
Een beveiligingscertificaat bevat gegevens die van de ene naar de andere computer worden overgezet als bewijs voor de authenticiteit of veiligheid van informatie op internet. U ontvangt deze melding waarschijnlijk omdat de datum en tijd van uw computer niet juist zijn ingesteld.

Als dit niet het geval is en het slechts om een bepaalde website gaat, kunt u contact met hen opnemen om zeker te weten dat het probleem niet aan de website zelf ligt. Als u een onlinebetaling doet, moet u ook niet vergeten te controleren of het internetadres begint met https:// in plaats van met http://, en te letten op het hangslot-symbool naast het adres. Beide geven aan dat het om een beveiligde website gaat.

5.3b   *Wanneer ik een webpagina probeer te openen, krijg ik de melding 'Internet Explorer kan de internetpagina niet weergeven'*
Probeer eerst eens een andere pagina te openen, aangezien het een probleem kan zijn met de specifieke website die u probeert te bekijken – deze site kan tijdelijk niet beschikbaar zijn of andere problemen ondervinden. Klik als u dezelfde foutmelding ook op andere pagina's krijgt op *Verbindingsproblemen vaststellen*. Hiermee start u het Windows-hulpprogramma Netwerkcontrole, dat zal zoeken naar netwerkproblemen.

URL

Het adres van een website wordt een URL *(Uniform Resource Locator)* genoemd.

5.3c   *Soms loopt een internetpagina vast en kan ik nergens op klikken*
Niet reagerende programma's kunnen ervoor zorgen dat uw pc niet meer lijkt te werken. Druk tegelijk op de knoppen *Ctrl+Alt+Delete* en klik op *Taakbeheer starten*. Er verschijnt nu een venster met daarin al uw geopende toepassingen. Als er ergens bij de status *Reageert niet* staat, klikt u op deze toepassing en vervolgens op *Taak beëindigen*. Als er nu weer een ander venster verschijnt, klikt u op *Nu beëindigen*. Op deze manier hoeft u niet uw hele computer af te sluiten en opnieuw op te starten.

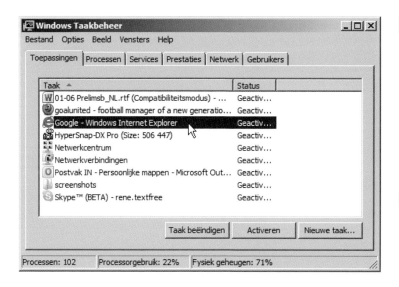

Pop-up

Een klein venster dat verschijnt boven een item (woord of afbeelding) op uw computerscherm om hierover extra informatie te geven.

Phishing

Een type e-mailfraude waarbij men u via een truc persoonlijke gege- vens probeert te ontfut- selen, bijvoorbeeld door u naar een nepwebsite te leiden die als twee drup- pels water lijkt op de site van een officiële organisa- tie (zoals een bank).

Adware

Software die uw web- gebruik traceert om uw interesses te bepalen en u daarop afgestemde reclame te leveren.

Trojan

Een computervirus dat zichzelf vermomt als een onschuldig programma om mensen te verleiden tot het installeren ervan. Dankzij trojans kunnen derden op afstand vol- ledige toegang krijgen tot uw computer.

5.3d Ik blijf pop-upadvertenties krijgen. Hoe kan ik hier een eind aan maken?

Pop-ups kunnen erg irritant en verwarrend zijn; soms bevatten ze zelfs kwaadaardige code- of fraudepogingen (*phishing*). Om pop-ups te blokkeren in Internet Explorer klikt u op *Extra* en dan *Internetopties*. Selecteer vervolgens het tabblad *Privacy* en zorg ervoor dat er een vinkje staat naast *Pop-upblokkering inschakelen*.

5.3e Als ik een internetpagina open, krijg ik vaak een ActiveX-melding

ActiveX is een legitieme Microsoft-technologie die het mogelijk maakt om kleine programma's, zoals spellen, te installeren via uw browser. Een melding hierover verschijnt meestal in de buurt van de werkbalk van uw internetbrowser, met de vraag of u akkoord gaat met het uitvoeren van ActiveX-besturingselementen en invoegtoe- passingen.

ActiveX kan ook zonder dat u het weet adware, virussen of schade- lijke trojans op uw computer installeren. Controleer of het element afkomstig is uit een betrouwbare bron.

5.3f Er ontbreekt een deel van de werkbalk van mijn internet- browser. Hoe krijg ik dit terug?

Klik met de rechtermuisknop op een lege ruimte in de werkbalk en zorg ervoor dat er een vinkje staat naast de werkbalken en andere onderdelen die u boven in uw internetbrowser wilt weergeven. U kunt ook op *Aanpassen* klikken om de weergave van pictogrammen te wijzigen (alle tekst tonen bij pictogrammen, enige tekst of geen tekst) of om opdrachten toe te voegen of te verwijderen.

5.4   Reset uw startpagina

Uw startpagina is de eerste internetpagina die u ziet wanneer u
internet op gaat via de browser. Deze staat meestal ingesteld op
een standaardpagina, maar u kunt dit wijzigen in wat u maar wilt.
Bijvoorbeeld een bepaalde nieuwssite, uw webmaildienst of een blog
die u volgt.

1 Ga naar de internetpagina die u als startpagina
wilt gebruiken.

2 Klik op de pijl rechts
naast de Startpagina-knop,
en klik dan op Startpagina
toevoegen of wijzigen.

3 Klik op Ja om uw wijzigingen op te slaan.

4 Klik op het Startpagina-
pictogram (= huisje) om op
elk gewenst moment naar
de ingestelde startpagina
te gaan.

5.4a   Kan ik mijn startpagina opnieuw instellen?

Als u uw startpagina wilt herstellen naar de standaardinstelling, kunt
u Internet Explorer resetten.

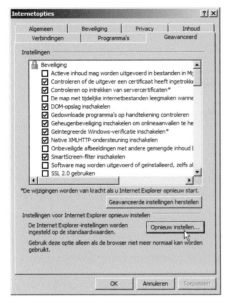

1 **Sluit alle actieve Internet Explorer-vensters.**

2 **Klik op de** Startknop
en dan op Internet Explorer
**om de software opnieuw te
starten. Kies** Extra **en dan**
Internetopties.

3 **Klik op het tabblad**
Geavanceerd **op** Opnieuw
instellen.

4 **Klik op** Opnieuw
instellen **in het venster**
Instellingen voor Internet
Explorer opnieuw instellen
dat nu verschijnt.

5 **Klik na de reset op**
Afsluiten **en dan op** ok.

Tip

Als Internet Explorer
steeds wordt afgesloten
zodra u het programma
opent, kan het zijn dat
uw computer te weinig
geheugen heeft. Zie pagina 23 voor hulp bij het
oplossen van geheugen-
problemen.

Blog

Afkorting van weblog,
een regelmatig bijge-
werkt onlinedagboek.

5.4b   Ik kan mijn startpagina niet veranderen!

Sommige schadelijke websites proberen uw internetbrowser te
'kapen', door uw startpagina te wijzigen, veel vensters te openen en
te voorkomen dat u uw startpagina herstelt. Het kapen van browsers
komt vaak voor. Zo houdt u het tegen:

1 **Download de Microsoft Safety Scanner
voor het verwijderen van schadelijke software
via www.microsoft.com/security/scanner/nl-be/
default.aspx.**

2 **Start het programma door de instructies
op het scherm te volgen. Hiermee verwijdert
u het schadelijke programma dat uw internetbrowser heeft gekaapt.**

3 **Reset uw startpagina zoals hierboven aangegeven.**

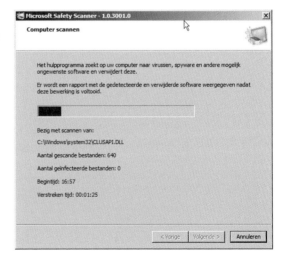

5.5   Browserinstellingen herstellen

Als u problemen ondervindt met Internet Explorer – de standaard-
internetbrowser in Windows 7 – kan het een goed idee zijn om deze
te resetten. Hiermee herstelt de browser de standaardinstellingen en
kunt u veel problemen oplossen. Het loont om te weten welke herstelopties er zijn en wat er verloren gaat wanneer u de browser reset.

5.5a   *Instellingen die blijvend worden gewist bij een reset*

*   InPrivate Filter-informatie
*   Browsergeschiedenis, zoals de lijst met onlangs door u bezochte
    websites
*   Cookies, tijdelijke internetbestanden en eventuele opgeslagen
    wachtwoorden
*   Menu-uitbreidingen en ingetypte internetadressen
*   Websites die u heeft toegevoegd aan vertrouwde of beperkte toe-
    gangszones
*   Websites die u heeft toegestaan om pop-upvensters te tonen

5.5b   *Instellingen die zijn opgeslagen en na een reset niet worden*
gewist

*   De lijst met uw favoriete websites
*   Internetapplicaties, zoals MSN Messenger
*   Instellingen voor de internetverbinding
*   De standaardbrowserinstelling
*   Vooraf goedgekeurde ActiveX-besturingselementen
*   Certificaatinformatie, zoals een certificaat van uw bank
*   Instellingen die zijn gebruikt voor het filteren van ongepaste web-
    sites

5.5c   *Instellingen die bij een reset naar hun oorspronkelijke instelling*
worden teruggezet

*   Het zoekvak zal worden hersteld in de oorspronkelijke zoek-
    machine
*   Instellingen voor de pagina-indeling, werkbalk en tekstgrootte
*   De startpagina zal worden teruggezet naar de oorspronkelijke
    locatie, bijvoorbeeld naar microsoft.com
*   Instellingen voor kleuren, lettertypen en toegankelijkheid
*   De meeste tabbladinstellingen
*   Instellingen voor de pop-upblokkering, zoominstellingen en voor
    Automatisch aanvullen (hierbij vult Internet Explorer automatisch
    webformulieren in op basis van over u opgeslagen gegevens)

5.5d *Internet Explorer opnieuw instellen*

Als u tevreden bent, kunt u Internet Explorer opnieuw instellen:

❶ Sluit Internet Explorer als het programma nog actief is.

❷ Start Internet Explorer. **Klik op de knop** Extra **en dan op** Internetopties.

❸ Klik in het tabblad Geavanceerd **op** Opnieuw instellen.

❹ Zet een vinkje bij Persoonlijke instellingen verwijderen **als u items wilt verwijderen, zoals browser-geschiedenis, zoekmachines, startpagina's en InPrivate Filter-informatie. Klik vervolgens op** Opnieuw Instellen.

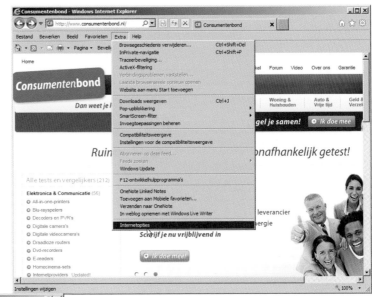

❺ Klik op Afsluiten **en dan op** ok. **Sluit Internet Explorer en herstart het programma zoals in stap 2. Alle instellingen zijn nu teruggezet naar de stan-daardinstellingen.**

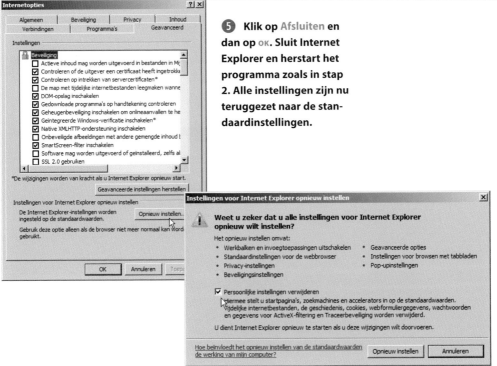

5.6   Browserwerkbalken verwijderen

U kunt zelf werkbalken aan Internet Explorer toevoegen om de func-
tionaliteit te vergroten. Sommige werkbalken installeren zichzelf
zonder uw toestemming. Als u een werkbalk wilt verwijderen, gaat
dat zo:

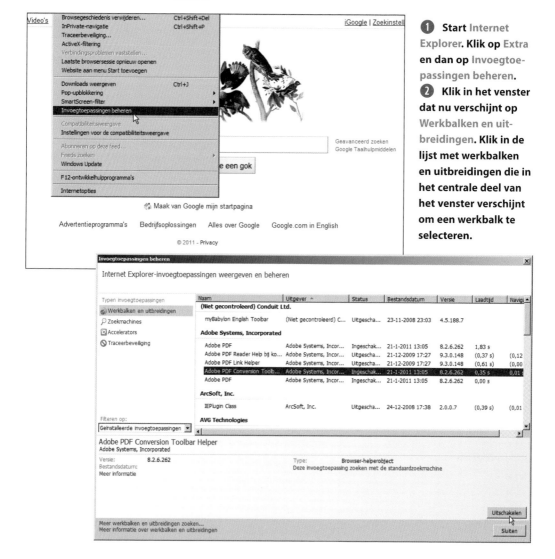

❶ **Start** Internet
Explorer. **Klik op** Extra
en dan op Invoegtoe-
passingen beheren.
❷ **Klik in het venster
dat nu verschijnt op**
Werkbalken en uit-
breidingen. **Klik in de
lijst met werkbalken
en uitbreidingen die in
het centrale deel van
het venster verschijnt
om een werkbalk te
selecteren.**

❸ **Klik onder in het venster op** Uitschakelen. **De werkbalk zal worden
verwijderd uit Internet Explorer. Herhaal deze stappen voor elke werkbalk die u wilt verwijderen.**

④ **Klik op de**
Startknop **en dan op**
Configuratiescherm.
Klik op Een pro-
gramma verwijde-
ren. **Typ in het zoek-**
vak de naam van de
werkbalk die u wilt
verwijderen. Klik op
de werkbalk en dan
op Verwijderen **om**
de werkbalk hele-
maal te verwijderen
van uw computer.

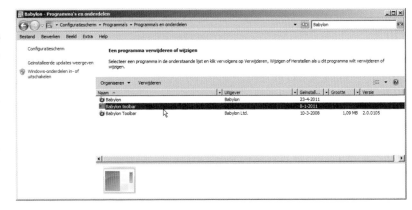

Omdat sommige werkbalken afkomstig zijn van min of meer schadelijke programma's die stiekem op uw computer terecht zijn gekomen,
loont het de moeite om uw computer in dit stadium te scannen
op malware. Zie pagina 126 voor hulp bij het controleren of uw pc
besmet is.

5.7 Een back-up maken van uw startpagina

Als u Internet Explorer opnieuw moet installeren of resetten, verliest
u de instellingen van uw startpagina. Het is mogelijk om hier een
back-up van te maken, zodat u deze later terug kunt zetten als u de
startpagina kwijt bent. Dit doet u als volgt:

① **Start** Internet Explorer. **Open de startpagina waar u een back-up van**
wilt maken.
② **Klik en sleep het pictogram dat links naast het adres in de adresbalk**
staat naar het bureaublad om dit op te slaan. Als u het bureaublad niet
kunt zien, klik op de rechterbovenhoek van het browservenster en sleep
naar het midden van het
scherm om het bureaublad
tevoorschijn te halen. Klik
en sleep vervolgens alsnog
het pictogram.
③ **Om uw startpagina te**
herstellen, dubbelklikt u
op het pictogram op het

bureaublad om de internetpagina te openen. Stel deze vervolgens in als
startpagina volgens 'Reset uw startpagina' op pagina 100.

5.8 Problemen met Internet Explorer-invoegtoepassingen

Invoegtoepassingen zijn kleine programma's die in Windows 7 extra mogelijkheden toevoegen aan Internet Explorer en het programma functioneler maken. Ze kunnen werkbalken toevoegen, pop-up-advertenties blokkeren en 'nieuws-tickers' toevoegen – maar sommige invoegtoepassingen kunnen ook voor problemen zorgen.

5.8a *Controleer de door u geïnstalleerde invoegtoepassingen*

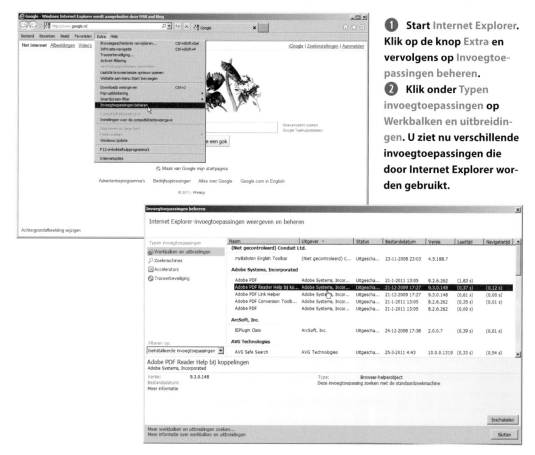

① **Start** Internet Explorer. **Klik op de knop** Extra **en vervolgens op** Invoegtoepassingen beheren.

② **Klik onder** Typen invoegtoepassingen **op** Werkbalken en uitbreidingen. **U ziet nu verschillende invoegtoepassingen die door Internet Explorer worden gebruikt.**

5.8b *Ik denk dat een invoegtoepassing een probleem veroorzaakt*

Als Internet Explorer vastloopt en onverwacht afsluit, kan een onlangs geïnstalleerde invoegtoepassing de boosdoener zijn. Om hier achter te komen, moet u Internet Explorer starten zonder invoegtoepassingen. Als dit goed werkt, test u vervolgens elke invoegtoepassing om te ontdekken welke de problemen veroorzaakt.

① **Om Internet Explorer uit te voeren zonder invoegtoepassingen, klikt u op de** Startknop **en dan op** Alle programma's. **Klik vervolgens op** Bureau-accessoires **en dan op** Systeemwerkset. **Klik hier op** Internet Explorer (zonder invoegtoepassingen).

Als dit het probleem oplost, opent u Internet Explorer en doet u het volgende:

① **Klik op de knop** Extra **en dan op** Invoegtoepassingen beheren. **Klik onder** Filteren op **op** Alle invoegtoepassingen.
② **Klik op de invoegtoepassing die u wilt stoppen en klik vervolgens op** Uitschakelen. **Herhaal deze twee stappen voor elke invoegtoepassing die u wilt uitschakelen. Klik op** Sluiten **zodra u klaar bent.**

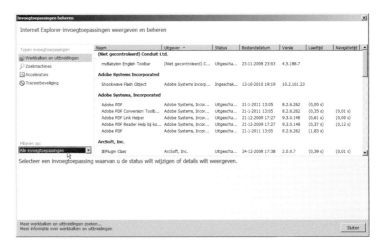

Als u invoegtoepassingen wilt heractiveren die geen problemen veroorzaken, gaat u als volgt te werk:

① **Start** Internet Explorer. **Klik op de knop** Extra **en dan op** Invoegtoepassingen beheren.
② **Klik onder** Filteren op **op** Alle invoegtoepassingen.

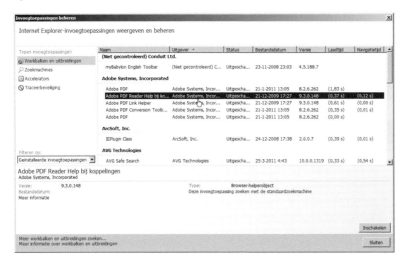

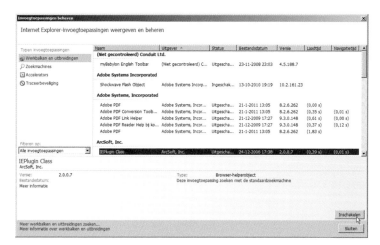

③ Klik op de invoegtoe-
passing die u wilt heractiveren en klik op Inschakelen.
Herhaal deze procedure
voor elke invoegtoepassing
die u wilt heractiveren. Klik
op Sluiten zodra u klaar
bent.

5.9 Internetpagina's toegankelijker maken

Internet Explorer heeft verschillende toegankelijkheidsopties die het
lezen van internetpagina's vereenvoudigen.

5.9a *Verander de tekstgrootte van een internetpagina*
① Klik in Internet Explorer op de knop Beeld en dan op Tekengrootte.
② Kies het gewenste formaat.

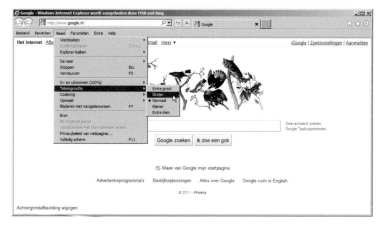

5.9b *Maak internetpagina's groter*
Internet Explorer Zoom laat u de weergave van een internetpagina
vergroten of juist verkleinen. In tegenstelling tot bij het veranderen
van de lettergrootte zorgt Zoom ervoor dat alles op de pagina groter
of kleiner wordt. U kunt op verschillende manieren in- en uitzoomen,
van 10% tot 1000%:

① **Klik rechts onderin in het Internet Explorer-scherm op de pijl naast de knop** Zoomniveau wijzigen**.**

② **Om naar een vooraf ingesteld zoomniveau te gaan, klikt u op het gewenste vergrotings- of verkleiningspercentage. Met elke druk op de percentageknop zelf rouleert u tussen 100%, 125% en 150%, zodat u de internetpagina snel kunt vergroten.**

③ **Om een specifiek zoomniveau te kiezen, klikt u op** Aangepast**. Typ in het vak** Percentage in-/uitzoomen **een zoomwaarde en klik op** ok**.**

④ **Als u een muis met een scrollwiel heeft, houdt u de** Ctrl**-toets inge-drukt en scrollt u omhoog om in te zoomen en omlaag om uit te zoomen.**

⑤ **Via het toetsenbord kunt u het zoomniveau in stappen van 10% ver-hogen of verlagen. Druk om in te zoomen op** Ctrl + plusteken (+)**. Druk om uit te zoomen op** Ctrl + minteken (-)**. Om terug te gaan naar 100%, drukt u op** Ctrl + o**.**

5.10 Internetpagina's met de zoekmachine vinden

Als u het exacte adres van een website niet weet of meer informatie wilt zoeken over een bepaald onderwerp, kunt u een zoekmachine gebruiken. De populairste zoekmachine is Google (www.google.nl), maar Microsofts zoekmachine (www.bing.com) is een goed alterna-tief. Typ een van deze adressen in de adresbalk om naar de betref-fende pagina te gaan en uw zoekopdracht te starten.

Als alternatief bieden de nieuwste versies van de internetbrowsers Internet Explorer en Firefox een snelzoekvak. Deze vindt u naast de adresbalk. U kunt direct in dit zoekvak typen wat u zoekt en vervol-gens op *Enter* drukken.

① **Klik eenmaal in het** Zoekvak **van de werkbalk.**

② **Typ waar u naar op zoek bent en druk op** Enter**.**

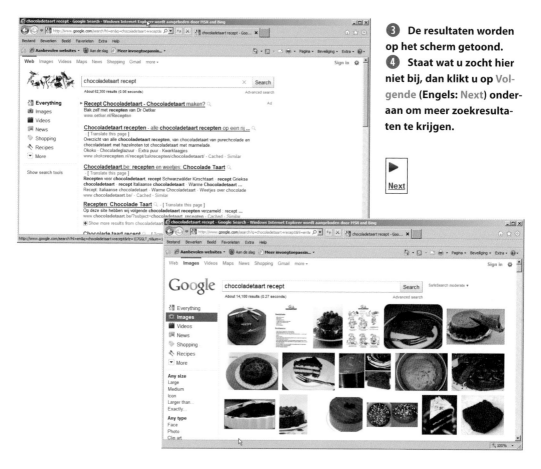

③ **De resultaten worden op het scherm getoond.**
④ **Staat wat u zocht hier niet bij, dan klikt u op** Volgende **(Engels:** Next**) onderaan om meer zoekresultaten te krijgen.**

Zoekmachines zoeken automatisch eerst naar tekstresultaten, maar u kunt ook naar afbeeldingen en video's zoeken. Typ het onderwerp waarnaar u zoekt in het zoekvak en klik op de zoekmachinepagina op de betreffende link of knop (meestal *Afbeeldingen* of in het Engels *Images*). Druk vervolgens op *Enter*.

Behalve *Het Internet* en *Afbeeldingen* biedt Google nog meer zoekcategorieën, zoals *Nieuws* (om te zoeken naar nieuwsgerelateerde verhalen) en *Boeken* (om de tekst van boeken te doorzoeken of nieuwe boeken te zoeken).

5.10a *Een ander zoekmachinevak toevoegen*

Als u geen gebruik wilt maken van de standaardzoekmachine die in uw browser verschijnt, kunt u deze omwisselen voor een andere zoekmachine. Ook kunt u een gespecialiseerd zoekmachinevak toevoegen, zoals een eBay-vak dat uitsluitend binnen eBay zoekt.

❶ **Klik in Internet Explorer op de pijl rechts naast het vergrootglas en klik op** Toevoegen**.**

❷ **U krijgt nu een overzicht te zien met allerlei zoekopties. Kies degene die u wilt en klik erop. Kies** Click to install **om deze zoekmachine toe te voegen aan Internet Explorer.**

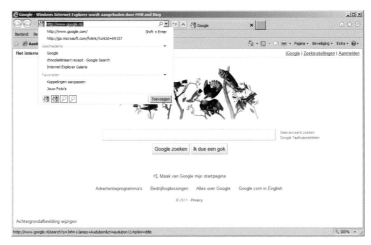

❸ **Als u wilt schakelen naar een andere zoekmachine klikt u in de adresbalk op de pijl naast het vergrootglas. Onder in het scherm dat nu opent, ziet u pictogrammen van de geïnstalleerde zoekmachine. Kies er een, typ in het tekstvak uw zoekopdracht en druk op** Enter**.**

5.11 Zoektips

- Zoekmachines negeren woorden zoals 'de' of 'een', dus deze kunt u weglaten uit uw zoekopdracht.
- Wees specifiek met uw zoekopdracht. Gebruik indien algemene zoektermen, zoals 'auto kopen', te veel resultaten opleveren liever specifiekere termen zoals 'tweedehands auto's advertenties', 'hybride auto kopen', of 'auto kopen Utrecht'.
- Zet dubbele aanhalingstekens rond woordcombinaties om naar precies die combinaties te zoeken.

5.12 Internetpagina afdrukken

Het afdrukken van een internetpagina leidt meestal tot een print die afwijkt van wat u op het scherm ziet. Hieronder behandelen we enkele veelvoorkomende printerproblemen met internetpagina's.

5.12a *Waarom is de tekst te klein wanneer ik deze afdruk?*
In Windows 7 verkleint Internet Explorer tekst automatisch zodat ze past op de breedte van het papier (meestal A4) waarop u print. Als u een ongebruikelijk brede internetpagina probeert af te drukken, zal de geprinte tekst heel klein zijn. Om dergelijke kleine tekst te voorkomen, doet u dit:

1 Klik op de pijl naast de Print-knop in Internet Explorer en klik vervolgens op Pagina-instelling.

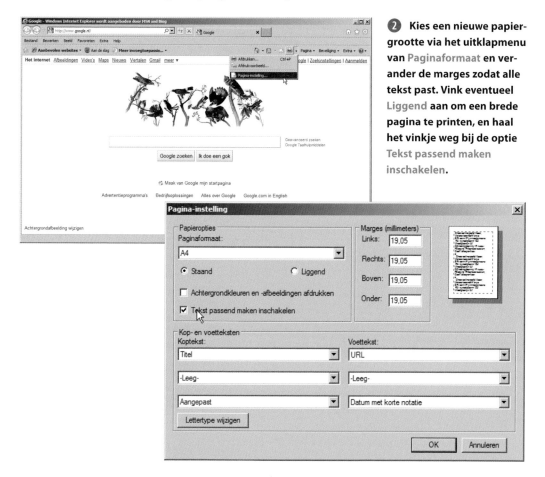

2 Kies een nieuwe papiergrootte via het uitklapmenu van Paginaformaat en verander de marges zodat alle tekst past. Vink eventueel Liggend aan om een brede pagina te printen, en haal het vinkje weg bij de optie Tekst passend maken inschakelen.

Op deze manier print u een ingezoomd gedeelte van de internetpagina, maar kan sommige informatie wel worden afgesneden.
Als alternatief kunt u ook delen van de internetpagina in een tekstverwerker knippen en plakken, zoals Microsoft Word, en de pagina's vervolgens via dat programma afdrukken.

5.12b *Waarom ziet de afgedrukte internetpagina er zo rommelig uit?*
Dit kan te maken hebben met het feit dat achtergrondafbeeldingen en -kleuren ervoor zorgen dat u de tekst niet kunt lezen. Zo schakelt u ze uit in Internet Explorer:

1 Klik op de pijl naast de Print-knop in Internet Explorer en daarna op Pagina-instelling.

② **Haal het vinkje weg bij** Achtergrondkleuren en -afbeeldingen afdrukken **en klik op** OK.

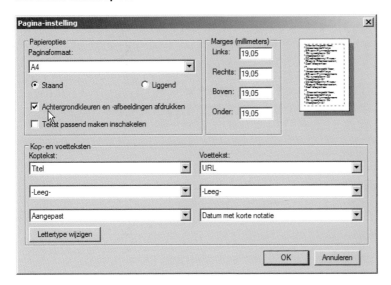

Flash

Interactieve delen van een internetpagina, zoals een spel, animatie of presentatie, worden meestal gemaakt in een bestandsvorm die Flash heet.

5.12c *Waarom worden delen van een internetpagina niet afgedrukt?*
Terwijl de tekst en afbeeldingen van een internetpagina gewoon worden afgedrukt, lukt het niet om sommige elementen van een pagina te printen, zoals Adobe Flash-presentaties. Zo print u dergelijke content:

① **Rechtsklik op de Flash-inhoud op de internetpagina.**
② **Kies** Afdrukken **in het pop-upmenu. Deze content zal dan normaal worden afgedrukt.**

5.12d *Mijn printer drukt helemaal geen internetpagina's af*
Internetbrowsers werken op dezelfde manier met uw printer samen als elk ander programma op uw computer. Als u dus een internetpagina helemaal niet kunt afdrukken, kan er een probleem zijn met uw printer of met de printerinstellingen in Windows 7. Zie pagina 71 voor informatie over het verhelpen van printerproblemen.

5.13 Zo surfen kinderen veilig

U weet ongetwijfeld dat internet vol zit met gevaren en ongepast materiaal waar u kinderen liever niet aan blootstelt. Met enkele simpele aanpassingen kunt u internet aanpassen op de leeftijd en volwassenheid van uw kinderen.

5.13a *Instellen van ouderlijk toezicht*

Windows 7 gebruikt *Ouderlijk toezicht* om te regelen hoe kinderen toegang hebben tot internet en tot de software op uw computer. U dient te zijn ingelogd als een administrator om *Ouderlijk toezicht* in te stellen. Zie pagina 31 voor meer informatie hierover.

➊ Klik op de Startknop **en dan op** Configuratiescherm. **Klik bij** Gebruikersaccounts en Ouderlijk toezicht **op** Ouderlijk toezicht voor elke gebruiker instellen. **Mogelijk moet u hier uw administratorwachtwoord invoeren.**

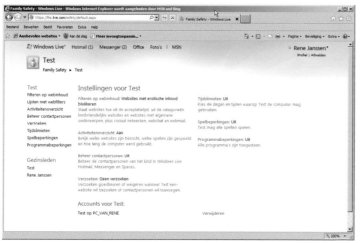

➋ Klik op de accountnaam waarop u ouderlijk toezicht wilt toepassen. Dit zou het account moeten zijn dat uw kind gebruikt om in te loggen op de computer. Zie pagina 30 voor hulp over accounts.

➌ Pas de benodigde individuele instellingen aan voor het account. U doet dit op de website van Windows Live Family Safety. Daar heeft u onder andere de volgende opties:

- Tijdslimieten Deze bepalen wanneer op het account in kwestie kan worden ingelogd, zodat een kind niet kan inloggen buiten de uren die u instelt. Het is mogelijk om verschillende tijden in te stellen voor verschillende dagen van de week. Als kinderen ingelogd zijn wanneer hun tijdslimiet verstrijkt, zullen ze automatisch worden uitgelogd.
- Spelbeperkingen Deze controleren de leeftijdsclassificaties van verschillende soorten spellen. Ook controleren ze of spellen zonder beperking of specifieke spellen moeten worden geblokkeerd.
- Programmabeperkingen Met deze handige instelling bepaalt u welke programma's kinderen mogen laden en gebruiken.

5.13b *Bepalen wanneer kinderen de pc mogen gebruiken*

① **Klik op de** Startknop **en dan op** Configuratiescherm. **Klik onder** Gebruikersaccounts en Ouderlijk toezicht **op** Ouderlijk toezicht voor elke gebruiker instellen. **Mogelijk dient u hier uw administratorwachtwoord in te voeren.**

② **Klik op de accountnaam waarop u ouderlijk toezicht wilt toepassen. Klik op** Ingeschakeld: huidige instellingen toepassen.

③ **Klik op** Tijdslimieten. **Klik in het raster en sleep de uren die u wilt blokkeren of toestaan. Klik op** OK.

Tip

U kunt het downloaden van bestanden voorkomen door onder *Filteren op webinhoud* het vinkje weg te halen bij de optie *Toestaan dat [account] online bestanden downloadt*.

5.13c *Beperken wat kinderen kunnen zien op internet*

U kunt ook voorkomen dat uw kind verkeerde websites bezoekt door specifieke websites toe te staan of te blokkeren via de instellingen voor *Ouderlijk toezicht*.

① **Klik op de** Startknop **en dan op** Configuratiescherm. **Klik onder** Gebruikersaccounts en Ouderlijk toezicht **op** Ouderlijk toezicht voor

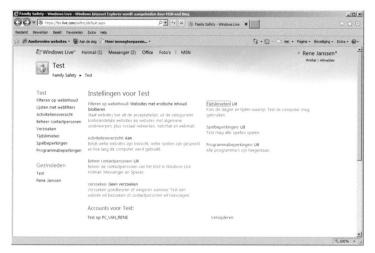

elke gebruiker instellen.
Mogelijk dient u hier uw
administratorwachtwoord
in te voeren.
❷ Klik op de account-
naam waarop u ouderlijk
toezicht wilt toepassen. Klik
op Ingeschakeld: huidige
instellingen toepassen.
❸ Klik op Windows Live
Family Safety **(download-**
details vindt u op pagina
206) om het programma te
starten en een account te
kiezen om te beheren. Hier-

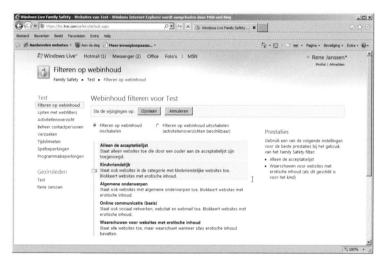

voor heeft u een Windows Live ID nodig. U zult hieraan worden herinnerd
als u deze niet heeft – volg de instructies om een Windows Live ID aan te
maken.
❹ Klik op Filteren op webinhoud **en beweeg de schuif naar de voor**
uw kind gewenste instelling. Klik op Opslaan **om uw wijzigingen te**
bewaren.

5.13d *Tips over het bijhouden van de webactiviteiten van uw kind*
Als kinderen internet gebruiken, is het aan te raden de computer op
een centrale plek neer te zetten, zoals de woonkamer. Op die manier
wordt surfen een sociale gezinsactiviteit. De realiteit is wel dat u
onmogelijk op elk moment een oogje in het zeil kunt houden.

Software voor kinderbeveiliging en ouderlijk toezicht kan u helpen toezicht te houden op het computergebruik van uw kinderen, op een manier die past bij hun leeftijd.

Software voor ouderlijk toezicht is niet voor iedereen geschikt. En software zal nooit een vervanging zijn voor het opvoeden van kinderen als het gaat om internetgevaren. Maar die extra verdedigingslinie kan wel een wereld van verschil betekenen.

5.13e Programma's blokkeren

Bij sommige software kunt u instellen dat kinderen programma's niet mogen uitvoeren als u dat niet wilt, zoals spellen, chatprogramma's of manieren om bestanden te delen. Ook kunt u voorkomen dat persoonlijke gegevens, zoals een telefoonnummer, worden ingetypt. U kunt e-mail naar onbekende personen blokkeren en chatten met vreemden voorkomen.

Nuttig is misschien de mogelijkheid om de internetactiviteiten van uw kind na te gaan of in de gaten te houden. Hierbij kunt u rapportages krijgen over de door hen bezochte websites, de tijd die ze online hebben doorgebracht en in sommige gevallen kopieën van chatgesprekken bekijken.

- Wanneer u voor het eerst software voor ouderlijk toezicht installeert, moet u een hoofdwachtwoord instellen dat alleen u toegang geeft tot de instellingen. Dit wachtwoord is ook nodig om de software te verwijderen.
- De meeste programma's zullen websites analyseren terwijl deze bezocht worden en ze blokkeren wanneer ze als ongepast worden ingeschat – bijvoorbeeld omdat ze bepaalde woorden detecteren.
- Wanneer de software een website blokkeert, zal altijd een waarschuwing op het scherm verschijnen. Als de site ten onrechte werd geblokkeerd en uw kind de site gerust kan bezoeken, kunnen ze u vragen uw hoofdwachtwoord te gebruiken om de site toegankelijk te maken.
- U kunt ook bepalen welke programma's uw kind mag gebruiken, en de tijden instellen waarop het de computer kan gebruiken. Bij erg jonge kinderen kunt u de te bezoeken websites beperken tot een aantal die door u zijn uitgezocht. U kunt vooraf goedgekeurde websites toevoegen aan een *whitelist* (witte lijst) en voorkomen dat uw kinderen websites bezoeken die niet op die lijst staan.

Tip

Ouderlijk toezicht werkt op vergelijkbare wijze als beveiligingssoftware. Meestal plaatsen ze twijfelachtige websites op een zwarte lijst. Het gaat dan bijvoorbeeld om websites met pornografie, haatzaaiende teksten, gokken of drugs.

5.14 Waarom kan ik een internetpagina niet goed bekijken?

Sommige websites zijn ontworpen voor gebruik in oudere versies van Internet Explorer. Dit betekent dat ze er mogelijk niet goed uitzien bij gebruik van Internet Explorer in Windows 7.
Problemen met het bekijken van websites kunnen veel oorzaken hebben, waaronder gebrek aan bandbreedte en problemen met een op de website gebruikte programmeercode.

5.14a *Ik kan de internetpagina niet goed zien*
U kunt de optie *Compatibiliteitsweergave* gebruiken om een oudere internetpagina er beter uit te laten zien:

1 **Start** Internet Explorer.
2 **Klik in Internet Explorer op de menuknop** Extra **en dan op** Compatibiliteitsweergave. **Deze weergave is niet te selecteren bij websites waarop deze optie niet van toepassing is.**

Wanneer de bovengenoemde optie aan staat, verschijnt een *Compatibiliteitsweergave*-knop (een gebroken rechthoek) rechts in de adresbalk van Internet Explorer. Door op deze knop te klikken, wordt de pagina getoond alsof u gebruikmaakt van een oudere versie van Internet Explorer. Klik in het menu *Extra* op *Instellingen voor compatibiliteitsweergave* om handmatig websites toe te voegen die via de compatibiliteitsweergave moeten worden getoond.

5.14b *Ik zie geen afbeeldingen op een internetpagina*
Als u tijdens een bezoek aan een internetpagina een aantal omka-

derde rechthoeken met rode kruisjes ziet, betekent dit dat de internetbrowser de afbeeldingen op de pagina niet kan weergeven. Controleer eerst of Internet Explorer staat ingesteld om afbeeldingen te tonen:

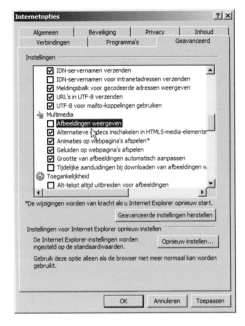

1 **Start** Internet Explorer. **Klik in Internet Explorer op de menuknop** Extra **en dan op** Internetopties. **Klik op het tabblad** Geavanceerd.

2 **Vink in de** Multimedia-**sectie de optie** Afbeeldingen weergeven **aan en klik op** OK.

Als u nog steeds geen afbeeldingen ziet, kan het zijn dat uw computer niet genoeg geheugenruimte heeft om de afbeeldingen te downloaden binnen Internet Explorer. Om dit op te lossen, moet u de cache legen:

1 **Start** Internet Explorer.
2 **Klik in Internet Explorer op de menuknop** Beveiliging **en dan op** Browsegeschiedenis verwijderen.
3 **Om cookies en bestanden die gekoppeld zijn aan uw** Favorieten **te bewaren, vinkt u** Gegevens van favoriete websites behouden **aan. Zet een vinkje naast elke categorie bestanden die u wilt verwijderen. Klik op** Verwijderen **en dan op** OK.

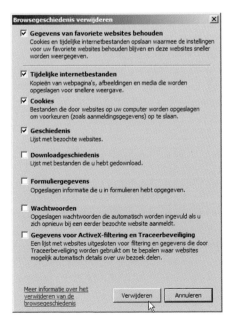

PC-EHBO

5.15 Bijlagen bij e-mails

Pas op

Als u grote bestanden als bijlage aan uw e-mail toevoegt, kunt u een foutmelding krijgen die aangeeft dat de limiet voor e-mailbijlagen voor uw account is overschreden.

Soms wilt u een foto of een document meesturen met uw e-mail. Dat gaat in Windows Live Mail (Hotmail) als volgt:

5.15a *Bestand als bijlage bij e-mail*
❶ **Klik nadat u een nieuw bericht heeft gemaakt en uw e-mail heeft geschreven op** Bestand toevoegen **(paperclippictogram).**

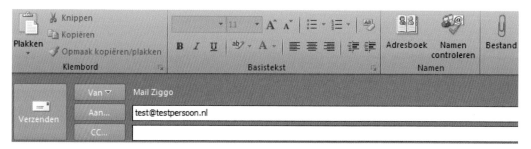

❷ **Zoek het bestand op dat u wilt meesturen en klik erop (foto's bevinden zich waarschijnlijk in uw map** Afbeeldingen**).**
❸ **Klik op** Openen**.**
❹ **Het bestand verschijnt nu als bijlage in uw e-mail.**
❺ **U kunt op dezelfde wijze meer bijlagen toevoegen. Klik op** Verzenden **zodra u alle gewenste bijlagen heeft toegevoegd.**

5.15b *Een bijlage openen in een ontvangen e-mail*
❶ **Dubbelklik op de e-mail met de bijlage. Dubbelklik op het pictogram van de bijlage.**
❷ **U kunt de bijlage nu openen in een nieuw venster. Hierna kunt u de bijlage opslaan via het programma waarmee u het opende.**
❸ **Er verschijnt nu een lijst met mappen. Selecteer de map waarin u de bijlage wilt opslaan en klik op** OK**.**

5.15c *Een foto toevoegen aan uw e-mail*

Pas op

Open alleen bijlagen als u de afzender kent en vertrouwt. Bijlagen van onbekende afzenders kunnen virussen bevatten. Zie pagina 125 voor meer informatie over computerbeveiliging.

Digitale camera's kunnen erg grote bestanden opleveren die, wanneer u ze als bijlage bij een e-mail verstuurt, voor een verstopping kunnen zorgen van het postvak van de ontvanger. De grootte kan ertoe leiden dat de foto naar de map met ongewenste e-mail wordt verplaatst of zelfs volledig wordt tegengehouden. Windows 7 heeft een hulpprogramma waarmee u foto's kleiner kunt maken voordat u ze e-mailt. Overweeg hierbij wat de ontvanger met de foto wil doen voordat u een fotoformaat kiest (zie bij punt 4).

① **Klik op de** Startknop.

② **Klik op** Alle Programma's, **op** Windows Live **en dan op** Windows Live Photo Gallery.

③ **Klik op de foto die u wilt e-mailen. Klik in het** Startmenu **of in het menu** Maken **op de knop** E-mail.

④ **Kies het gewenste fotoformaat in het uitklapmenu. Om foto's op het computerscherm te bekijken, is het formaat** kleiner **prima. Dit formaat is geschikt voor het afdrukken van foto's op 10×15 cm. Zowel** normaal **als** groot **is geschikt voor het afdrukken van foto's met een formaat van 13×18 cm.**

⑤ **U ziet ook de geschatte grootte van de bijlage. Alles kleiner dan 1 MB is prima te verzenden via e-mail. Klik op** Toevoegen **als u tevreden bent.**

Tip

In veel e-mailprogramma's kunt u rechtsklikken op een bijlage en dan op *Eigenschappen* klikken voor meer informatie, zoals grootte en bestandstype.

5.16 Hoe houd ik ongewenste e-mail tegen?

Door ongewenste post (spam) kan uw postvak behoorlijk verstopt raken. Spam kan ook aanstootgevend materiaal bevatten en kan drager zijn van virussen en fraudepogingen via phishing (zie pagina 99).

Uw internetprovider zal spamfilters gebruiken op zijn e-mailserver, in een poging te voorkomen dat spam uw postvak bereikt. Ook webmailaccounts beschikken meestal over spamfilters. Verder kunt u de spaminstellingen van uw e-mailprogramma zo wijzigen dat bepaalde berichtsoorten er automatisch uit worden gefilterd.

5.16a *Gebruik een spamfilter*

U kunt spam het best buiten de deur houden door een spamfilter te gebruiken. De beste filters maken gebruik van een whitelist (witte lijst) voor *goede* e-mailadressen en een blacklist (zwarte lijst) voor adressen, trefwoorden en zinnen die uit uw postvak moeten blijven. De meeste e-mailaccounts bevatten een spamfilter, maar er zijn ook hulpprogramma's, waaronder het gratis Mailwasher (www.mailwasher.net) en het Nederlandstalige SpamFighter (www.spamfighter.com/Lang_NL/Product_Info.asp).

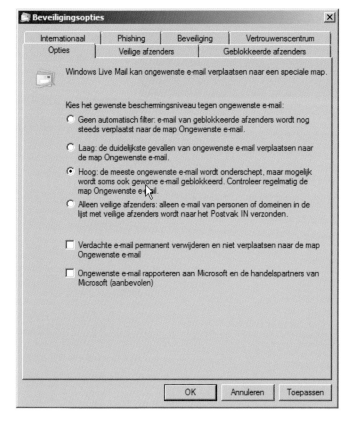

Filter ongewenste e-mail in Windows Live Mail

❶ Open uw e-mailaccount in Windows Live Mail. Klik in het hoofdmenu op het pijltje (links van Start**). Kies** Opties **en vervolgens** Beveiligingsopties**.**

❷ Kies onder Opties **het gewenste beschermingsniveau tegen ongewenste e-mail. Hierbij heeft u de keus uit: geen automatisch filter, laag, hoog of alleen personen of domeinen uit de lijst met veilige afzenders toestaan.**

❸ Vink eventueel ook de opties aan om verdachte e-mail permanent te verwijderen en om ongewenste e-mail te rapporteren aan Microsoft. Klik op ok **om uw keuzes te bevestigen.**

5.16b *Reageer niet op spam*

Door te reageren op spam of door te klikken op de link waarmee u zich afmeldt voor zo'n mailtje, bevestigt u de afzender alleen maar dat uw e-mailadres klopt. U kunt dergelijke berichten dus beter meteen verwijderen zonder ze te openen.

5.16c *Maak een 'wegwerp'-mailadres*

Creëer een apart e-mailadres dat u gebruikt om onlineaankopen te doen, voor forums en om u in te schrijven op bepaalde diensten

– gebruik bijvoorbeeld een gratis Windows Live Hotmail-account (http://mail.live.com) dat u altijd kunt opheffen, waarna u weer een nieuw e-mailadres aanmaakt. Er zijn zelfs sites die zich specialiseren in tijdelijke e-mailadressen, zoals www.10minutemail.com en www.ikbenspamvrij.nl.

5.16d *Kies een ingewikkeld e-mailadres*
Door een moeilijk e-mailadres te kiezen, voorkomt u dat spammers op de gok iets naar uw e-mailadres sturen.

5.16e *Rapporteer spam bij uw e-mailaanbieder*
Rapporteer spam bij uw internet- of webmailaanbieder. Dit helpt uw aanbieder om toekomstige spam te identificeren en te onderscheppen. Vaak kunt u dit doen door, wanneer hierom wordt gevraagd, te klikken op *Rapporteer deze e-mail als spam*.

5.17 Hoe voorkom ik dat mijn e-mails niet aankomen?

Heeft u weleens veel tijd besteed aan het schrijven van een e-mail, maar deze weer retour gekregen nadat u hem verzonden had? Bijvoorbeeld met een foutmelding die aangaf dat het bericht niet kon worden bezorgd? Hier zijn enkele tips om te voorkomen dat uw e-mail wordt geweigerd.

5.17a *Typt u wel het juiste e-mailadres in?*
De meeste e-mailadressen bestaan uit de combinatie: naam@locatie/ domein, dus bijvoorbeeld rjjanssen@debond.nl. Zorg ervoor dat u het juiste e-mailadres intypt.

5.17b *Bestaat het e-mailadres wel?*
Als uw e-mail vrijwel direct terugkomt, bestaat het adres waarschijnlijk niet. Controleer bij de persoon aan wie u het e-mailtje stuurt even of u diens juiste e-mailadres heeft.

5.17c *Is het bestand in de bijlage te groot?*
Voor sommige e-mailaccounts, zoals zakelijke e-mailadressen, geldt een limiet voor de bestandsgrootte van bijlagen die eventueel met de e-mail worden meegestuurd. Normaal gesproken ligt die rond de 10 MB. Probeer de e-mail te verzenden zonder bijlage, en kijk of het dan wel lukt.

5.17d *Uw e-mail heeft een probleem met de bijlage*
Sommige e-mailprogramma's, zoals Gmail, staan niet toe dat bepaalde soorten bijlagen – zoals uitvoerbare programma's – worden ont-

Pas op

Reageer nooit op ongewenste e-mails en klik ook nooit op een link waarmee u zogenaamd uw e-mailadres van een lijst af kunt halen. Hiermee bevestigt u alleen maar dat de afzender op een bestaand e-mailadres is gestuit. Verwijder dergelijke berichten liever direct zonder ze te openen.

vangen op hun netwerk, vanwege de kans dat het om malware gaat. Ook kan uw bijlage besmet zijn met een virus, waardoor de e-mail-service uw e-mail niet wil afleveren op het opgegeven adres. Voor meer hulp over het controleren op virussen, zie pagina 126.

6 BEVEILIGING

Door alle stappen in dit hoofdstuk
te lezen en te volgen, leert u:

- uw computer te controleren op virussen
  en spyware, en hoe u deze verwijdert
- hoe u veilig websites kunt bezoeken
- een firewall te installeren en te beheren
  die uw computer beschermt

6.1   Uw pc controleren op virussen

Hoe weet u of uw computer besmet is met een virus, behalve door een antimalwarescan uit te voeren met behulp van beveiligings-software? Of uw computer besmet is met malware – waartoe virussen, spyware en trojans behoren – is vaak te zien aan enkele symptomen.

6.1a   *Is de computer aanzienlijk langzamer geworden?*
Als uw computer trager wordt tijdens het uitvoeren van taken en aanmerkelijk langzamer is dan normaal, kan dit betekenen dat uw computer besmet is met malware.

6.1b   *Zijn er vreemde werkbalken, startpagina's of links verschenen?*
Dit is een goede indicatie dat u besmet bent geraakt met spyware. Dit is software die ontworpen is om uw computeractiviteiten te volgen en te registreren. Zo kan spyware bijvoorbeeld uw toetsaanslagen bij-houden tijdens het invoeren van bankwachtwoorden – om deze door te geven aan criminelen.

6.1c   *Starten programma's automatisch op of crashen ze steeds?*
Sommige virussen zijn ontwikkeld om programma's te saboteren, bijvoorbeeld door ze op vreemde wijze uit te voeren, ze te starten zonder het u te vragen, door te weigeren ze te laten starten of door ze vast te laten lopen.

6.1d   *Is er veel activiteit op uw netwerk?*
Signalen die een duidelijke aanwijzing zijn voor beveiligingsproble-men, zijn onder andere constante activiteit van uw modem of harde schijf, of continu brandende activiteitenlampjes op uw breedband-modem. Dit betekent niet automatisch dat u een virus heeft, maar in combinatie met andere symptomen is het wel een indicator.

6.1e   *Heeft u onlangs een programma gedownload van internet?*
Hoewel veel programma's gewoon veilig kunnen worden gedown-load, zijn er ook – meestal gratis screensavers, spellen en geani-meerde cursors – die verborgen virussen of spyware bevatten. Ook op netwerken waarop (illegaal) software, muziek en films worden uitge-wisseld, is veel malware actief. Downloadt u weleens bestanden van zo'n netwerk, wees dan extra op uw hoede.
Als u een verandering heeft opgemerkt na het downloaden en installeren van software, moet u een eerder herstelpunt gebruiken. Daarmee zet u uw computer terug naar de situatie zoals die was voor de bewuste installatie. Zie pagina 181 voor hulp over het gebruik van herstelpunten.

6.1f Kunt u nog beveiligingssoftware installeren?

Malware beschermt zichzelf door ervoor te zorgen dat u geen beveiligingssoftware op de computer kunt installeren. Probeer eens testversies van verschillende beveiligingspakketten te installeren. Als dat niet lukt, is dat een duidelijke aanwijzing voor malware.

6.1g Hoe scant u op virussen en spyware?

Zorg ervoor dat u adequate beveiligingssoftware heeft en scan op malware. Elk softwarepakket is anders, dus volg de instructies die bij de software zaten voor het scannen van de computer. Waarschijnlijk heeft uw software een grote scanknop – het kan even duren voordat een computer met een grote harde schijf is gescand op virussen. Kies altijd voor een volledige en uitgebreide scan, en niet voor een snelle en oppervlakkige.

Er bestaan veel commerciële beveiligingspakketten voor het beschermen van uw computer tegen malware, maar ook veel gratis oplossingen. Commerciële pakketten zijn bijvoorbeeld Symantec Norton Internet Security en Kaspersky Internet Security. Gratis zijn onder andere AVG Anti-Virus Free Edition, Microsoft Security Essentials en Windows Defender, dat al geïnstalleerd is in Windows 7.

Tip

In het handboek Veilig online leest u alles over veilig en verstandig internetgebruik, het beschermen van uw privacy en tijdig herkennen van gevaren. Het boek kost €17,50 (niet-ledenprijs €22). www.consumenten bond.nl/webshop.

6.2 Help! Ik heb een virus

De gratis AVG 2011 bevat minimale en toch effectieve antimalwareprogramma's. Voorgaande versies zijn in verschillende beveiligingstests goed naar voren gekomen. De gratis versie van AVG is alleen bedoeld voor persoonlijk gebruik en biedt geen officiële technische ondersteuning.

1 Download het installatiebestand. Pas op dat u de juiste versie downloadt en niet per ongeluk een probeerversie van het volledige pakket, waar u dan later voor moet betalen.
2 Typ http://free.avg. com in de adresbalk van uw webbrowser en klik op Nu downloaden in het gedeelte waar staat AVG Anti-Virus Free Edition – dit is de versie die u nodig heeft. Klik op de volgende pagina in de

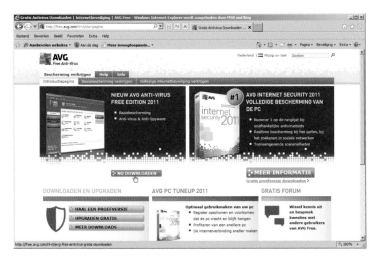

kolom met de kop Anti-Virus Free Edition op de knop Downloaden. Klik in het volgende scherm nogmaals op de knop Downloaden.

3 Installeer het programma. Sluit alle andere toepassingen en dubbelklik vervolgens op het AVG-bestand dat u net heeft gedownload (u vindt dit in uw map Downloads) en installeer het door op Uitvoeren te klikken. Om veiligheidsredenen krijgt u hier mogelijk een waarschuwing (of er wordt gevraagd om uw gebruikersnaam en wachtwoord in te voeren), maar u kunt veilig verder gaan. Volg de eenvoudige stappen om het programma te installeren. Kies Basic bescherming als u wordt gevraagd welk product u wilt installeren. Klik op Volgende en daarna op Snelle installatie om het restant van de software te downloaden en het programma te installeren.

Tijdens de installatie kunt u ervoor kiezen de AVG *Werkbalk Beveiliging* toe te voegen aan uw webbrowser. De meeste browsers hebben een vergelijkbare werkbalk ingebouwd, dus u kunt het vinkje hier ook zonder problemen weghalen om deze functie over te slaan. Hetzelfde geldt voor de optie om AVG *Secure Search* in te stellen als standaard-zoekmachine. Klik aan het eind van de procedure op OK. Start de computer opnieuw op om de installatie te voltooien.

4 Configureer de software. Als u AVG Free Edition 2011 wilt starten, klikt u op Start en kiest u AVG Gebruikersinterface. Het hoofdscherm wordt geopend. Als het goed is staat bij alle opties een groen vinkje en ook staat bovenin de mededeling dat u beschermd bent. Is dat niet het geval, dan moeten er nog enkele onderdelen worden bijgewerkt met de nieuwste virusgegevens. Kies de optie Nu bijwerken om deze updates te downloaden. Boven in het scherm verschijnt daarna de melding dat

alle beveiligingsfuncties
up-to-date zijn en correct
functioneren.

5 **Klik nu op de knop** De
hele computer scannen.
Hiermee onderzoekt u de
complete harde schijf van
de computer op besmet-
tingen – deze scan kan wel
even duren. Mochten er
besmette bestanden wor-
den gevonden, dan zal AVG
deze verwijderen en repa-
reren.

6 **Om automatische scans
te plannen, klikt u op** Scan-
opties. **Klik vervolgens op**
Geplande scans beheren.
Klik op Bewerken scansche-
ma **om ingeplande scans
toe te voegen. Vink de optie**
Deze taak inschakelen **aan.
Kies onder** Schema-instel-
lingen **een tijdsinterval,
zoals** Uitvoeren op specifiek
tijdstip. **Standaard staat dit
op elke woensdagmiddag
om 12 uur. Zet eventueel
een vinkje bij** Uitvoeren bij

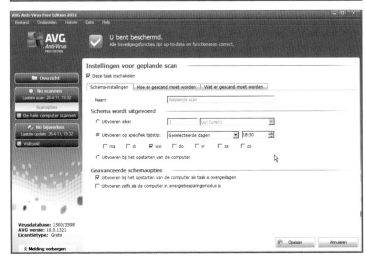

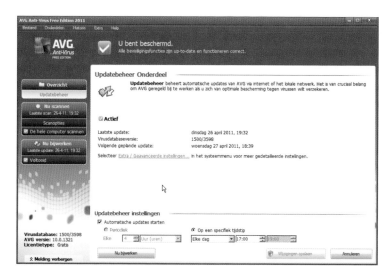

het opstarten van de computer als taak is overgeslagen. Als uw computer woensdagmiddag dan niet aan stond, wordt de scan alsnog gedaan bij de volgende keer dat u de computer aanzet.

7 **AVG werkt minstens eenmaal per dag automatisch de virusdefinities bij, zodat u altijd beschermd bent tegen de nieuwste dreigingen. Om de standaardinstelling te wijzigen, dubbelklikt u op Updatebeheer in het Overzicht-scherm. Controleer of Automatische updates starten staat aangevinkt en stel een tijd in (standaard staat dit ingesteld op elke dag om 17 uur, maar dit kunt u ook wijzigen).**

8 **Om uw pc voortaan elke dag beschermd te houden, zal AVG automatisch updaten en uw pc eenmaal per week scannen. Omdat u de gratis versie heeft gedownload, zult u af en toe worden aangespoord een completere versie te upgraden. Deze is niet gratis. U kunt deze meldingen negeren – volgens onze bevindingen doet de gratis versie van AVG zijn werk effectief.**

6.3   Spyware verwijderen

Windows Defender is een softwareproduct dat spyware detecteert, verwijdert of in quarantaine plaatst. Het product is standaard geïnstalleerd en geactiveerd in Windows 7.

6.3a   *Waar vindt u Windows Defender op uw pc?*
Voor toegang tot Windows Defender klikt u in Windows op de *Startknop* en gaat u naar *Configuratiescherm*. Klik op *Systeem en beveiliging*. Typ 'windows defender' in het zoekvak rechts bovenin en klik dan in de lijst met resultaten op *Windows Defender*.

6.3b   Een handmatige scan uitvoeren

1 **Klik op** Scan uitvoeren **om Windows Defender aan het werk te zetten. Deze scan kan enkele minuten duren. Vervolgens kunt u ervoor kiezen om bestanden te negeren, te verwijderen of in quarantaine te plaatsen.**

6.3c   Automatisch scannen instellen

1 **Om uw computer in te stellen voor een automatische, dagelijkse scan klikt u op** Hulpprogramma's **en dan op** Opties**.**

2 **Vink de optie** Scan automatisch op mijn computer uitvoeren (aanbevolen) **aan. Selecteer via de uitklapmenu's de frequentie (dagelijks of wekelijks), uw voorkeurstijd en het type scan (snel of volledig).**

3 **Klik in het linkermenu op** Standaardacties**. Hier kunt u Windows Defender vertellen wat het moet doen wanneer items met een bepaald waarschuwingsniveau zijn aangetroffen (verwijderen, in quarantaine plaatsen of toestaan).**

4 **Klik op** Opslaan**.**

6.4   Virussen stoppen

Uw computer beschermen tegen virussen en andere gevaren is niet zo moeilijk, maar u moet er wel wat moeite voor doen.

6.4a   Installeer een beveiligingspakket

In het ideale geval heeft u een beveiligingspakket om te scannen op malware en die te blokkeren of te verwijderen. Ook moet u een firewall hebben om onbevoegd verkeer van en naar internet op uw computer te blokkeren (zie pagina 135 voor het instellen van Windows Firewall).

Het steeds bijwerken van uw beveiligingspakket helpt uw computer bij de bestrijding van virussen. Beveiligingspakketten scannen op virussen die proberen binnen te dringen in uw e-mail, besturingssysteem of bestanden. Nieuwe virussen verschijnen dagelijks, vandaar dat de pakketten regelmatig updates ophalen. De meeste beveiligingspakketten worden verkocht met jaarlijkse abonnementen, die kunnen worden vernieuwd.

6.4b Denk na voordat u een e-mailbijlage opent

Als u een onbekende e-mail ontvangt met een bijlage, zoals een foto of een programma, doet u er goed aan even na te denken of u de bijlage wilt openen. Veel malware wordt verspreid via e-mailbijlagen en zal uw computer infecteren wanneer u de bijlage opent.

6.4c Houd Windows 7 up-to-date

Hackers proberen altijd nieuwe gaten te vinden in de beveiliging van Windows om computers met dat besturingssysteem binnen te dringen. Microsoft brengt regelmatig beveiligingsupdates uit in een voortdurend kat-en-muisspelletje met de hackers. Het is daarom belangrijk ervoor te zorgen dat Windows 7 altijd bijgewerkt is. Zie pagina 183 om dit automatisch te laten gebeuren.

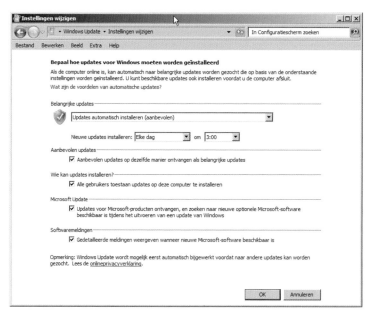

6.4d Zorg dat de firewall aan staat

Een goede manier om problemen te voorkomen, is te zorgen dat Windows Firewall correct staat ingeschakeld in Windows 7. Een firewall houdt hackers en malware tegen die toegang proberen te krijgen tot uw pc om kostbare informatie te downloaden. Zie pagina 135 voor informatie over het inschakelen van Windows Firewall.

6.5   Hoe weet ik of een website veilig is?

Op internet draait het allemaal om delen: van e-mails en meningen tot commentaren en aanbevelingen voor foto's, video's en muziek. Internet laat ons informatie en inhoud delen met mensen over de hele wereld. U kunt er informatie vinden over ongeveer elk denkbaar onderwerp – maar hoe weet u zeker dat wat u leest klopt en betrouwbaar is? Iedereen kan van alles publiceren op internet en het kan lastig zijn om te bepalen wie achter een website zit of hoe het zit met diens kennis en vaardigheden over het betreffende onderwerp. Ook is het lastig om erachter te komen of een webpagina niet eigenlijk een verborgen reclame of productsponsor is, of om andere redenen bevooroordeeld.

Let op het volgende om te beslissen of de informatie op een website te vertrouwen is:

Nauwkeurigheid
Is het duidelijk wie de auteur van de website is: een individu of een bedrijf of instelling? Is er een *Over*-knop waar u contactgegevens van de verantwoordelijken voor de site kunt vinden?

Autoriteit
Vermeldt de webpagina de auteur en gegevens over het bedrijf of de instelling? Bekijk het webadres van de site. Domeinen die eindigen op edu en gov zijn alleen bestemd voor educatieve en overheidssites, terwijl domeinen die op org en net eindigen vooral worden gebruikt voor organisaties zonder winstoogmerk, zoals goede doelen.

Objectiviteit
Vermeldt de website duidelijke doelstellingen? Maakt het uitsluitend reclame voor een mening, product of dienst? Is er duidelijk sprake van ondersteunende reclame?

Actualiteit
Is de webpagina actueel en wordt hij regelmatig bijgewerkt? Sommige websitegegevens kunnen erg verouderd zijn. Controleer of eventuele links werken, want verouderde links zijn vaak een teken dat een webpagina zelden wordt bijgewerkt.

Dekking
Kunt u de benodigde informatie volledig bekijken of wordt u hierin beperkt door verzoeken om eerst te betalen, door de browsertechnologie of door software-eisen?

Als u op de meeste vragen 'ja' antwoordt, kunt u er voorzichtig van uitgaan dat een website betrouwbaar is in de geleverde informatie.

6.5a Hoe weet ik zeker of een website veilig is?
Het adres van een beveiligde website wordt voorafgegaan door https:// in plaats van het gebruikelijke http:// – de extra 's' staat voor *secure* oftewel veilig. In Internet Explorer en Firefox verschijnt als u een beveiligde pagina bezoekt bovendien altijd een pictogram van een hangslot in de adresbalk. U kunt daarnaast de legitimiteit van het beveiligingscertificaat van een webpagina controleren. Dat doet u zo:

Microsoft Internet Explorer

❶ Klik op het hangslotpictogram in de adresbalk. Klik op Certificaten weergeven**. U kunt in het volgende scherm controleren of het certificaat werd verleend aan de juiste site en of het nog geldig is.**

Mozilla Firefox

❷ Kies in het menu Extra **en dan** Pagina-info**. Klik op** Beveiliging **(hangslot-symbool) en dan op** Certificaat bekijken**.**

6.6 Een firewall instellen

Een firewall is een essentieel onderdeel dat helpt uw netwerk te beschermen tegen hackers. Een firewall controleert inkomende en uitgaande dataverbindingen. Deze 'muur van vuur' gaat af en toe open om goede bestanden door te laten, maar houdt dreigingen tegen.

Als uw firewall niet aan staat, loopt uw computer het risico gehackt te worden, wat kan leiden tot misbruik van uw computerbronnen en internetverbinding en tot mogelijk dataverlies. Windows 7 laat u verschillende beschermingsniveaus instellen, afhankelijk van uw locatie: bijvoorbeeld lagere instellingen voor thuis en hogere als u een laptop gebruikt op een openbare plek.

6.6a Ik denk dat mijn firewall uit staat

Standaard hebben de meeste Windows 7-computers de firewall aan staan, maar als u denkt dat dit niet het geval is, kunt u hem eenvoudig zelf inschakelen.

1 Klik op de Startknop en dan op Configuratiescherm. Typ in het venster dat nu verschijnt 'firewall' in het zoekvak. Klik op Windows Firewall in de lijst met resultaten. Klik op Windows Firewall in- of uitschakelen in het linkerpaneel. Eventueel dient u hier uw administratorwachtwoord in te voeren.

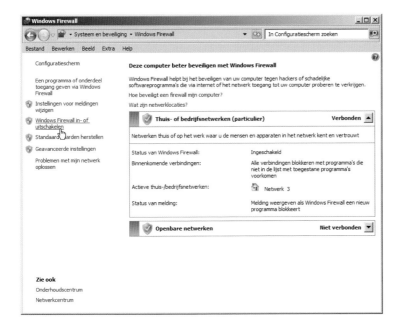

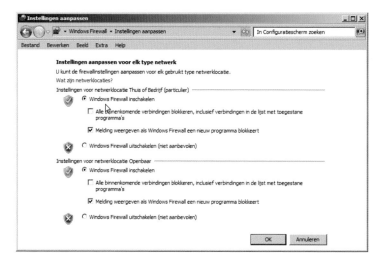

② **Klik onder elke net-werklocatie, zoals** Thuis of Bedrijf **en** Openbaar, **op** Windows Firewall inschakelen **voor alle locaties die u wilt beveiligen.**

6.6b Hoe zet ik mijn firewallinstellingen terug?

Er zijn veel instellingen in Windows Firewall en het kan zijn dat u denkt per ongeluk een optie verkeerd te hebben ingesteld. Geen probleem. U kunt de instellingen terugzetten naar hun oorspronkelijke staat.

① **Klik op de** Startknop **en dan op** Configuratiescherm. **Typ in het venster dat nu verschijnt 'firewall' in het zoekvak. Klik op** Windows Firewall

in de lijst met resultaten. Klik op Standaardwaarden herstellen **in het linkerpaneel. Eventueel moet u hier uw administratorwachtwoord invoeren.**
② **Klik op** Standaardinstellingen **in de melding die nu verschijnt en dan op** Ja.

6.6c Firewall blokkeert mijn programma

De meeste programma's kunnen dankzij Windows Firewall niet ongecontroleerd met de buitenwereld communiceren. Als u een programma door uw firewall heen wilt laten communiceren, moet u Windows Firewall hiervoor toestemming geven.

① **Klik op de** Startknop **en dan op** Configuratiescherm. **Typ in het venster dat nu verschijnt 'firewall' in het zoekvak. Klik in de lijst met resultaten op** Windows Firewall.
② **Klik op** Een programma of onderdeel toegang geven via Windows Firewall **in het linkerpaneel. Eventueel moet u hier uw administratorwachtwoord invoeren.**

❸ Zet een vinkje bij het programma dat u toestemming wilt geven om te communiceren via de firewall en kies de locaties – zoals Thuis/werk – waar u toestemming wilt geven aan het programma. Klik op OK als u klaar bent.

Pas op

Wees er zeker van dat u het programma vertrouwt dat u toestemming geeft om te communiceren via de firewall. Zoek bij twijfel via Google naar advies of neem contact op met de softwareleverancier.

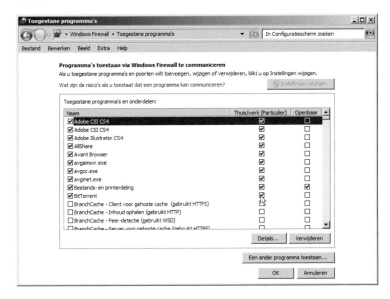

6.6d Ik kan geen onlinegames spelen met anderen vanwege mijn firewall

Heel soms gebeurt het nog dat de firewall activiteiten tegenhoudt, zoals het onlinegamen met anderen. Om dit op te lossen, dient u een poort open te zetten in uw firewall. Dit doet u met de keuzehulp:

❶ Klik op de Startknop en dan op Configuratiescherm. Typ in het venster dat nu verschijnt 'firewall' in het zoekvak. Klik op Windows Firewall in de lijst met resultaten. Klik op Geavanceerde instellingen in het linkerpaneel. Eventueel moet u hier uw administratorwachtwoord invoeren.

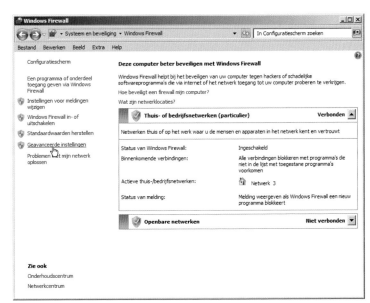

2 **Klik in het scherm** Windows Firewall met geavanceerde beveiliging **op** Regels voor binnenkomende verbindingen **in het linkerpaneel, gevolgd door** Nieuwe regel **in het rechterpaneel. De** Wizard Nieuwe regel voor binnenkomende verbindingen **wordt nu gestart. Volg de instructies op het scherm.**

7 APPARATEN AANSLUITEN

Door alle stappen in dit hoofdstuk
te lezen en te volgen, leert u:

- problemen met usb-verbindingen te
  identificeren en te verhelpen
- problemen aan te pakken rond het aansluiten van
  digitale camera's, harde schijven en camcorders
- aansluitproblemen met Bluetooth-apparaten
  op te lossen

7.1 Algemene usb-problemen

Er zijn veel manieren om apparaten, zoals printers en digitale camera's, aan te sluiten op een computer. De populairste wijze is via de usb-poort. Deze standaardaansluiting is ontworpen om externe apparatuur op een computer aan te sluiten en gegevens op hoge snelheden over te zetten.

Soms verloopt het aansluiten van een usb-apparaat niet helemaal zoals verwacht – het apparaat is niet zichtbaar in Windows of krijgt niet genoeg stroom om ingeschakeld te kunnen worden.

7.1a Het usb-apparaat werkt helemaal niet

Usb-apparaten zijn ontworpen om simpelweg op een computer te worden aangesloten en meteen te werken, zonder dat er iets moet worden geconfigureerd. Probeer de Probleemoplosser Hardware en apparaten in Windows 7 uit te voeren om te zien of deze het probleem automatisch kan oplossen:

❶ **Klik op de Startknop en dan op Configuratiescherm. Typ in het zoekvak 'probleemoplossing' en klik dan op Probleemoplossing in de lijst met resultaten.**
❷ **Klik in het deel Hardware en geluiden op Een apparaat configureren. Eventueel dient u hier uw administratorwachtwoord in te voeren.**

❸ **Volg de instructies op het scherm om te zien of dit het probleem oplost.**

Als het apparaat nog steeds dienst weigert, kan dit aan een van de volgende oorzaken liggen.

7.1b Windows kan geen usb-stuurprogramma vinden voor het apparaat

Meestal zal Windows automatisch het stuurprogramma (driver) vinden en installeren om te kunnen communiceren met het usb-apparaat. Als het juiste stuurprogramma niet wordt gevonden, moet u het alsnog installeren. Zie pagina 184 voor advies over het installeren en bijwerken van stuurprogramma's.

7.1c   Het apparaat heeft een hardwareprobleem of defect stuurprogramma

Als het apparaat, zoals een mp3-speler of digitale camera, nog steeds niet werkt, kijk of het wel werkt als u het aansluit op een andere computer. Is dat ook niet het geval, controleer dan de status van het usb-apparaat om te zien of het stuurprogramma defect is:

1 Klik op de Startknop en dan op Configuratiescherm. Klik daar op Systeem en beveiliging en dan onder Systeem op Apparaatbeheer. Eventueel dient u hier uw administratorwachtwoord in te voeren.

2 Dubbelklik op de relevante apparaatcategorie, zoals Schijfstations, en kijk of daar een apparaat bij staat dat een probleem aangeeft.

3 Rechtsklik op de regel voor het niet goed werkende apparaat en kies Eigenschappen. Kijk op het tabblad Algemeen bij Apparaatstatus of het probleem hier wordt vermeld. Als u denkt dat het stuurprogramma defect is, kijk dan op de website van de fabrikant van het apparaat en download het. Zie pagina 184 voor advies over stuurprogramma's.

7.1d   De usb-poort is defect

Probeer het apparaat aan te sluiten op een andere usb-poort op uw
computer om te zien of het probleem aan een specifieke usb-poort
ligt. Het gebeurt niet vaak, maar usb-poorten kunnen kapot gaan. Als
het apparaat wel werkt op een andere usb-poort op uw computer,
gebruikt u die voortaan en kunt u overwegen om de defecte usb-
poort te laten repareren.

7.1e   Stroomtekort op de usb-poort

Sommige apparaten, zoals draagbare harde schijven, worden via
de usb-poort van de benodigde stroom voorzien om te werken.
Sommige usb-poorten leveren niet voldoende stroom voor bepaalde
apparaten. Probeer het usb-apparaat op een andere usb-poort op uw
computer aan te sluiten en koppel alle andere usb-apparaten los om
er zeker van te zijn dat de maximale hoeveelheid stroom uit de usb-
poort wordt gehaald.

7.1f   Ik krijg een foutmelding 'Snel usb-apparaat op trage usb-hub
aangesloten'

Veel snelle usb-apparaten die grote hoeveelheden gegevens moeten
verwerken, zoals een draagbare harde schijf, moeten worden aangesloten op een usb 2.0-poort op uw computer. De meeste computers
hebben usb 2.0-poorten, de nieuwste zijn vaak uitgerust met het nog
snellere usb 3.0. Dit controleert u zo:

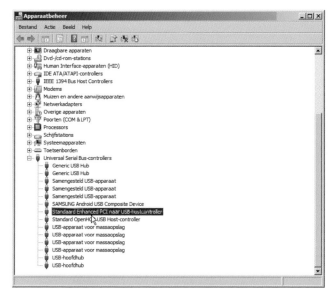

❶ Klik op de Startknop en dan
op Configuratiescherm. Klik in dit
scherm op Systeem en beveiliging
en dan onder Systeem op Apparaatbeheer. Eventueel dient u hier
uw administratorwachtwoord in te
voeren.
❷ Dubbelklik op Universal Serial
Bus-controllers. Als het woord
'Enhanced' voorkomt in de omschrijving van een van de usb-controllers,
heeft uw computer usb 2.0 geïnstalleerd. Staat er 'USB 3.0 Host Controller', dan heeft uw pc het nieuwe usb
3.0.
❸ Als uw computer usb 2.0-poor-
ten heeft, kan het zijn dat de benodigde stuurprogramma's ontbreken
om deze poorten goed te laten werken. Zie pagina 184 voor advies over
het installeren en bijwerken van stuurprogramma's.

7.2   Problemen met de printerverbinding

Een printer kan om een aantal redenen verbindingsproblemen hebben, variërend van dat Windows 7 de printer meteen al niet herkent
tot ermee ophouden wanneer u een document wilt afdrukken.

Als uw printer een usb-model is en dus via een usb-poort wordt aangesloten op uw computer, moet u controleren of het probleem aan
de usb-aansluiting ligt. Zie pagina 140 voor advies over algemene
usb-problemen en hoe u deze kunt oplossen.

Probeer de Probleemoplosser Hardware en apparaten in Windows 7
uit te voeren om te zien of deze het probleem automatisch oplost:

**① Klik op de Startknop
en dan op Configuratie-
scherm. Typ in het zoekvak
'probleemoplossing' en klik
dan op Probleemoplossing.
② Klik in het deel Hard-
ware en geluiden op Een
apparaat configureren.
Eventueel moet u hier uw
administratorwachtwoord
invoeren.
③ Volg de instructies op
het scherm om te zien of dit
het probleem oplost.**

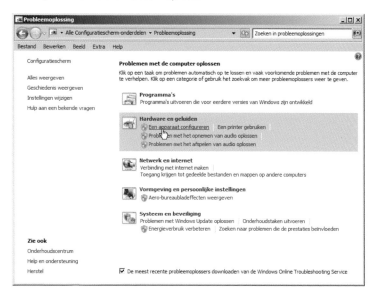

7.2a   Werkt de printer nog niet?
*Mijn printer houdt er vaak mee op tijdens het afdrukken en dan moet ik
mijn computer opnieuw opstarten.*
Uw printersoftware plaatst afdruktaken in een rij, en als een van die
taken mislukt, kan dit ervoor zorgen dat alle andere taken ook niet
worden uitgevoerd. Zo gaat u naar de afdruktaken en ontdekt u wat
er aan de hand is:

**① Klik op de Startknop en dan op Apparaten en printers. Rechtsklik op
uw printer en kies Afdruktaken weergeven. Kijk in de kolom Status. Hier
kunt u zien of een taak is mislukt, en waarom.
② Om de taak te wissen die de rij ophoudt, klikt u op de mislukte taak
en klikt u in het menu op Annuleren.**

Problemen met de printerverbinding

Als u een printer heeft aangesloten op uw computer en deze werkt niet – of de printer houdt er op mysterieuze wijze mee op – dient u mogelijk het stuurprogramma opnieuw te installeren of bij te werken. Zie pagina 184 voor advies over het updaten en installeren van stuur-programma's.

Een printer delen

Er zijn verschillende manieren om een printer op te nemen in een netwerk. Sommige printers zijn voorzien van ethernetpoorten, zodat u ze via een kabel rechtstreeks op een netwerk kunt aansluiten. De meeste thuisprinters gebruiken usb of een oude parallelle aansluiting. Er zijn verschillende manieren om een printer in een netwerk op te nemen.

U kunt een usb-printserver kopen die draadloze toegang tot uw prin-ter biedt vanaf elke computer in uw netwerk, maar deze kunnen vrij duur zijn.

Een voordeligere optie is uw printer op het netwerk delen via de pc waarop hij is aangesloten. Het nadeel hiervan is dat deze pc aan moet staan als u iets wilt afdrukken.

Steeds meer nieuwe printers hebben een ingebouwde wifi-aanslui-ting en zijn zo in een draadloos netwerk op te nemen. Verder hebben veel routers en netwerkhardeschijven tegenwoordig een usb-poort voor een printer.

7.3 Problemen met de cameraverbinding

Als u uw digitale camera heeft aangesloten op een usb-poort van uw computer en deze lijkt niet te werken, kunt u dat op een van de volgende manieren oplossen:

- Zorg ervoor dat de kabels stevig zijn aangesloten en dat de camera aan staat.
- De camera moet eventueel op een speciale stand worden gezet om verbinding te kunnen maken met een computer; controleer de handleiding om te zien of dit het geval is.
- Zorg dat de hardware goed werkt. Probeer de Probleemoplosser Hardware en apparaten van Windows 7 te gebruiken om te zien of deze problemen met uw cameraverbinding automatisch kan oplossen:

① Klik op de **Startknop** en dan op **Configuratiescherm**. Typ in het zoekvak van het configuratiescherm 'probleemoplossing' en klik in de lijst met resultaten op **Probleemoplossing**.

② Klik in het deel **Hardware en geluiden** op **Een apparaat configureren**. Eventueel moet u hier uw administratorwachtwoord invoeren.

③ Volg de instructies op het scherm om te zien of dit het probleem oplost.

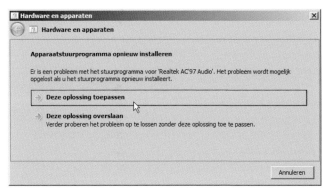

• Zorg ervoor dat u het juiste stuurprogramma heeft voor uw camera, zodat Windows 7 deze herkent. Zie pagina 184 voor advies over het updaten en installeren van stuurprogramma's.
• Als u er eerder wel in slaagde verbinding te krijgen met uw camera, kan het zijn dat de usb-poort van uw computer niet meer werkt. Probeer de camera aan te sluiten op een andere usb-poort of zie pagina 140 voor advies over het oplossen van algemene usb-problemen.

7.3a *Mijn camera maakt verbinding met mijn computer, maar Windows kan geen foto's vinden*

Er zijn verschillende redenen waarom Windows wel verbinding maakt met uw camera, maar problemen heeft met het vinden van de foto's.

• Controleer of de geheugenkaart in de camera zit.
• Controleer of u de foto's niet al eerder heeft geïmporteerd – Windows importeert geen foto's die u al eerder heeft geïmporteerd.

- U heeft de foto's mogelijk per ongeluk verwijderd van de geheugenkaart van de camera. Als u denkt dat dit het geval is, zie pagina 158 voor advies over het terughalen van per ongeluk gewiste foto's.
- Controleer goed of uw camera foto's niet op verschillende locaties opslaat, zoals een geheugenkaart en/of een interne harde schijf. Controleer ook of de camera-instellingen toestaan dat foto's door Windows worden gelezen vanaf die locatie. Controleer de handleiding van de camera voor informatie over hoe u dit doet.

Geheugenkaart

Een verwisselbaar opslagmedium (apparaat) waar foto's op staan die genomen zijn met een digitale camera. Ze zijn er in diverse grootten en verschillende typen, zoals Compact Flash (cf), Multimedia (mmc), Secure Digital (sd) en Memory Stick.

7.4 Problemen met de camcorderverbinding

Het kan voor uw computer soms een probleem zijn uw camcorder te herkennen wanneer u hem aansluit. Vaak heeft het probleem specifiek te maken met de camcorder of videosoftware die u gebruikt. U moet daarom het hulpregister op de website van de fabrikant raadplegen. Sommige algemenere verbindingsproblemen kunt u zelf snel oplossen.

7.4a *Mijn computer herkent mijn camcorder niet bij gebruik van usb*
Controleer eerst de basis, door ervoor te zorgen dat de camcorder zowel aan staat als via zijn eigen voeding is aangesloten op de netspanning. Sommige verbindingsproblemen ontstaan als de camcorder op de accu werkt. Het kan ook de moeite lonen de kabel te verwisselen die u gebruikt om de camcorder aan te sluiten, voor het geval daar iets mis mee is.

Zorg ervoor dat de hardware goed werkt. Probeer de Probleemoplosser Hardware en apparaten van Windows 7 uit te voeren om te zien of deze automatisch de verbindingsproblemen met uw camcorder kan oplossen:

❶ **Klik op de Startknop en dan op Configuratiescherm. Typ in het zoekvak van het configuratiescherm 'probleemoplossing' en klik in de lijst met resultaten op Probleemoplossing.**

② Klik in het deel Hardware en geluiden op Een apparaat configureren. Eventueel moet u hier uw administratorwachtwoord invoeren.

③ Volg de instructies op het scherm om te zien of dit het probleem oplost.

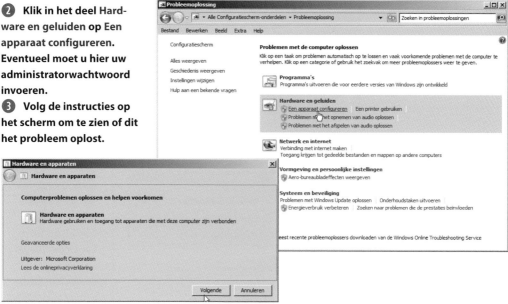

Zorg ervoor dat u het juiste stuurprogramma voor uw camcorder heeft, zodat Windows 7 hem kan herkennen. Zie pagina 184 voor advies over het bijwerken en installeren van stuurprogramma's.

Als u er eerder wel in slaagde verbinding te krijgen met uw camcorder, kan het zijn dat de usb-poort van uw computer niet meer werkt. Probeer de camcorder aan te sluiten op een andere usb-poort of zie pagina 140 voor advies over het oplossen van algemene usb-problemen.

7.4b   Mijn computer herkent mijn camcorder niet bij gebruik van IEEE 1394 (FireWire)

Sommige camcorders gebruiken een speciale verbinding genaamd IEEE 1394. Eventueel moet u het IEEE 1394-stuurprogramma voor Windows 7 handmatig bijwerken.

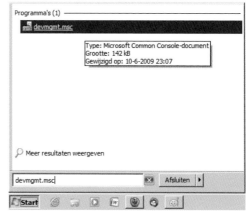

① Klik op de Startknop en typ 'devmgmt.msc' in het zoekvak.

② Klik in de lijst met resultaten op het Apparatenoverzicht en klap het deel IEEE 1394 Bus host controllers uit.

③ Rechtsklik op de *host controller* in kwestie en kies Stuurprogramma's bijwerken in het popupmenu.

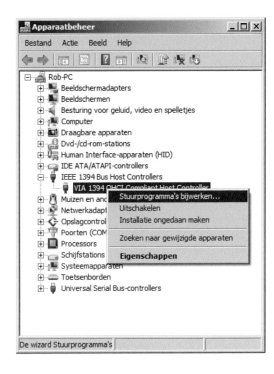

4 Klik op Op mijn computer naar stuurprogramma's zoeken en klik dan op Ik wil kiezen uit een lijst met apparaatstuurprogramma's op mijn computer. Zet een vinkje bij Compatibele hardware weergeven.

5 Klik op de optie 1394 OHCI Compliant Host Controller (Legacy) en dan op Volgende om het stuurprogramma bij te werken.

7.5 Problemen met de harddiskverbinding

De meeste externe harde schijven worden via een usb-poort aangesloten. Meestal is het een kwestie van aansluiten en de schijf verschijnt automatisch in Windows, klaar om uw gegevens op te slaan. Soms worden harde schijven niet gezien door Windows – en dat kan komen door de usb-aansluiting, maar ook doordat de schijf stuk is, geen netspanning krijgt of niet is geformatteerd.

Pas op

Door een harde schijf te initialiseren of formatteren, wist u alle eerder opgeslagen gegevens. Wis een harde schijf alleen als deze nieuw is, u een backup heeft gemaakt van de gegevens of zeker weet dat het geen probleem is om de opgeslagen gegevens te verliezen.

7.5a Mijn computer herkent mijn externe harde schijf niet
Controleer of de externe harde schijf aan staat en indien mogelijk via zijn eigen voeding is aangesloten op de netspanning. Sommige externe harddisks zijn voor hun stroomvoorziening uitsluitend aangewezen op de usb-poort, die wellicht niet voldoende stroom levert om de harde schijf correct aan te sturen. Het kan ook de moeite lonen de kabel te vervangen die u gebruikt om de harde schijf aan te sluiten, voor het geval daar iets mis mee is.

Zorg ervoor dat de hardware goed werkt. Probeer de Probleemoplosser Hardware en geluiden van Windows 7 uit te voeren om te zien of deze het probleem met uw harddiskverbinding automatisch kan oplossen:

❶ Klik op de Startknop
en dan op Configuratie-
scherm. Typ in het zoekvak
'probleemoplossing' en klik
in de lijst met resultaten op
Probleemoplossing.

❷ Klik in het deel Hard-
ware en geluiden op Een
apparaat configureren.
Mogelijk dient u hier uw
administratorwachtwoord
in te voeren.

❸ Volg de instructies op
het scherm om te zien of dit
het probleem oplost.

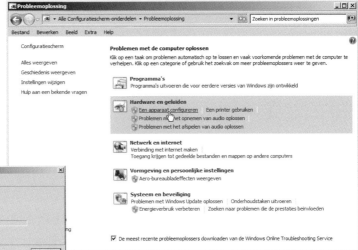

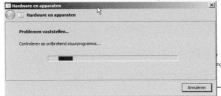

Zorg ervoor dat u het juiste stuurprogramma voor uw harde schijf
heeft, zodat Windows 7 hem kan herkennen. Zie pagina 184 voor
advies over het bijwerken en installeren van stuurprogramma's.

Als u er eerder wel in slaagde verbinding te maken met uw harde
schijf, kan het zijn dat de usb-poort van uw computer niet meer
werkt. Probeer de harddisk aan te sluiten op een andere usb-poort,
of zie pagina 140 voor advies over het oplossen van algemene usb-
problemen.

7.5b De harde schijf aansluiten en formatteren

Als de usb-poort en de kabels goed werken en de harddisk voldoende stroom krijgt, kan het zijn dat Windows de harde schijf niet ziet
omdat hij moet worden geïnitialiseerd – dat wil zeggen: klaargemaakt
voor gebruik.

❶ Klik op de Startknop en typ 'formatteren' in het zoekvak. Kies in de
lijst met resultaten Partities op harde schijf maken en formatteren.
❷ Hiermee opent u Schijfbeheer. Als de externe harde schijf verschijnt
in de lijst met gedetecteerde schijven, kan het zijn dat deze eerst moet

worden geïnitialiseerd voordat Windows hem herkent buiten het Schijf-
beheer-programma.

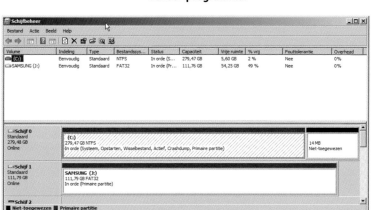

3 Klik met de rechtermuisknop in het Schijf-
beheer-scherm op de
externe harde schijf. Kies
vervolgens Schijf initialiseren (of Formatteren als
Schijf initialiseren niet
als optie vermeld staat).
4 Kies in het berich-
tenvak van Initialiseer
schijf de harde schijf die
u wilt initialiseren. Klik
op OK.

Het kan even duren
voordat het initialiseren van een harde schijf is voltooid. Schakel de
schijf niet uit en ontkoppel hem niet terwijl Windows hiermee bezig
is.

7.6   Problemen met de Bluetooth-verbinding

Bluetooth is een populair, draadloos verbindingstype met kort bereik
dat vaak door kleinere apparaten wordt gebruikt om te communiceren met een computer. Typische Bluetooth-apparaten zijn onder
andere draadloze computermuizen, toetsenborden en mobiele tele-
foons.

7.6a   *Mijn Bluetooth-apparaat wordt niet gezien door de computer*

De eerste optie is het verwijderen en vervolgens
opnieuw installeren van
het Bluetooth-apparaat
dat problemen veroor-
zaakt:

1 Klik op de Startknop en
dan op Configuratiescherm.
Klik in dit scherm op Hardware en geluiden en dan op
Apparaten en printers.
2 Selecteer het apparaat
dat niet werkt – zoals een

Bluetooth-toetsenbord – en klik boven in de menubalk op Apparaat verwijderen.

❸ Ga terug naar het scherm Hardware en geluiden en klik op Een Bluetooth-apparaat toevoegen. Klik op het Bluetooth-apparaat op de resetknop of zorg dat dit detecteerbaar is (zie hiervoor de handleiding van het apparaat).

❹ Vink de optie Mijn apparaat is ingesteld en kan worden gevonden aan en klik op Volgende. Herhaal de twee laatste

stappen als het apparaat niet wordt gevonden. Klik op Volgende wanneer het apparaat wordt gevonden.

❺ Volg de overige stappen die op het scherm verschijnen. Het apparaat moet nu steeds als u het in de buurt van de computer plaatst automatisch verbinding maken.

7.6b Ik moet mijn Bluetooth-apparaat opnieuw installeren

Zorg ervoor dat de Bluetooth-adapter van uw apparaat is verbonden met uw computer en is ingeschakeld, of dat een eventuele ingebouwde Bluetooth-adapter van uw computer aan staat. Controleer of uw apparaat aan staat en detecteerbaar is.

7.6c Een Bluetooth-printer opnieuw installeren

Klik op de *Startknop* en dan op *Configuratiescherm*. Klik in dit scherm op *Hardware en geluiden*, dan op *Printers* en ten slotte op *Een printer toevoegen*.

7.6d Opnieuw installeren van een Bluetooth-toetsenbord, -muis of -telefoon

Klik op de *Startknop* en dan op *Configuratiescherm*. Klik in dit scherm op *Hardware en geluiden*, dan op *Bluetooth-apparaten* en op *Toevoegen*.

Tip

Let erop dat het Bluetooth-apparaat aan staat en de batterijen niet hoeven te worden vervangen – een veelvoorkomend probleem dat ervoor zorgt dat er geen verbinding tot stand komt met een pc.

7.6e Mijn Bluetooth-apparaat maakt nog steeds geen verbinding met de computer

Bluetooth is een communicatietechnologie voor kort bereik – zorg er dus voor dat u het Bluetooth-apparaat niet te ver van uw computer plaatst.

Controleer ook of uw Bluetooth-apparaat niet in de buurt van andere apparaten staat die radiogolven verspreiden, zoals een magnetron, draadloze telefoon of draadloze router.

Controleer of andere Bluetooth-apparaten proberen contact te maken met uw Bluetooth-apparaat, zoals een camera die verbinding probeert te krijgen met een printer. Schakel alle andere Bluetooth-apparaten uit en probeer het nogmaals door de voorgaande stappen te volgen.

Controleer of uw computer het juiste Bluetooth-apparaat detecteert. Wellicht zijn er meerdere Bluetooth-apparaten van vergelijkbare aard binnen bereik, zoals een mobiele telefoon. Dit kan verwarring veroorzaken tijdens het verbinden.

Controleer of uw computer Bluetooth-apparatuur toestaat verbinding te maken:

1 **Klik op de Startknop en dan op Configuratiescherm. Klik vervolgens op Hardware en geluiden en dan op Bluetooth-apparaten.**
2 **Klik op het tabblad Opties en vink de optie Bluetooth-apparaten mogen verbinding met deze computer maken aan. Klik op ok.**

8 FOTO'S, MUZIEK EN VIDEO

Door alle stappen in dit hoofdstuk te lezen en te volgen, leert u:

- hoe u problemen oplost met het importeren, bewerken en delen van foto's
- hoe u problemen oplost met het downloaden en afspelen van audio en muziek
- hoe u problemen oplost met video en hoe u thuisvideo's deelt

8.1   Problemen met foto's

Er zijn veel manieren om foto's in Windows 7 te importeren, bekijken en bewerken – en er zijn veel verschillende fotobewerkingsprogramma's, elk met hun eigen manier van werken.

Microsoft heeft een gratis fotoprogramma voor Windows 7: Windows Live Photo Gallery 2011. Dit programma kan foto's importeren, ordenen, bewerken en delen. U kunt Windows Live Photo Gallery gratis downloaden via http://explore.live.com/windows-live-photo-gallery. De hulp en adviezen in dit boek gaan over Windows Live Photo Gallery – ga voor hulp en advies over uw eigen (andere) fotobewerkingsprogramma naar de website van de fabrikant of zoek informatie op internet.

8.1a   Ik kan geen foto's importeren vanaf mijn digitale camera

Het importeren van foto's is meestal niet zo moeilijk, maar het kan zijn dat u een probleem heeft met de verbinding van uw camera. Zie pagina 144 voor hulp met cameraverbindingen. Zo importeert u foto's vanaf een camera:

Tip

Het handboek *Alles over Digitale fotografie* neemt u stap voor stap mee in het maken, bewerken en opslaan van digitale foto's. Het boek kost €16,75 (niet-ledenprijs €21). www. consumentenbond. nl/webshop

❶ **Sluit de camera aan op de usb-poort van uw computer en zet de camera aan.**
❷ **Klik in het** Automatisch afspelen-**scherm dat verschijnt op** Afbeeldingen en video's importeren met Windows. **Klik op** Importeren. **U krijgt nu een venster met de geïmporteerde foto's.**

8.1b   Het Automatisch afspelen-scherm verschijnt niet, dus ik kan mijn foto's niet importeren

Automatisch afspelen is mogelijk uitgeschakeld op uw computer, zodat dit scherm niet verschijnt wanneer u uw camera aansluit. Maar u kunt uw foto's nog steeds importeren:

❶ **Klik op de** Startknop **en dan op** Computer.
❷ **Klik in het navigatiepaneel links met de rechtermuisknop op het**

pictogram van uw digitale camera en dan op Afbeeldingen en video's importeren. De foto's worden nu geïmporteerd en na enige tijd verschijnt een venster met daarin de geïmporteerde foto's.

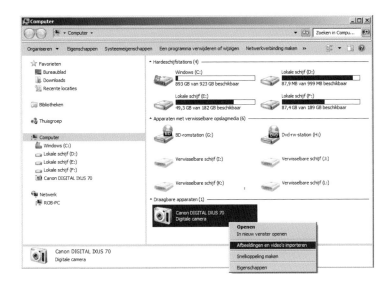

8.1c Ik kan niet kiezen welke foto's ik vanaf mijn camera kan importeren

Om te voorkomen dat foto's dubbel worden geïmporteerd, zal Windows Live Photo Gallery alleen uw nieuwste foto's importeren. U kunt de foto's die geïmporteerd zijn in Windows Live Photo Gallery bekijken en verwijderen nadat het importeren is afgerond.

8.1d Ik heb mijn foto's geïmporteerd, maar nu kan ik ze niet vinden

Als u foto's importeert naar uw computer – vanaf een digitale camera of via een geheugenkaart of scanner – worden deze standaard in de map *Afbeeldingen* geplaatst. U kunt controleren waar de importlocatie van Windows Live Photo Gallery is door de onderstaande stappen te volgen:

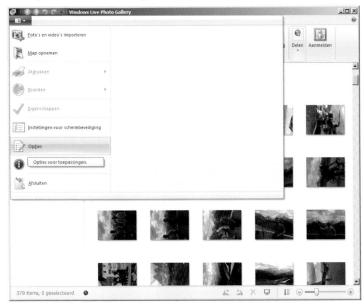

❶ **Klik op de** Startknop, **dan op** Alle programma's **en op** Windows Live. **Start** Windows Live Photo Gallery. **Klik links bovenin op het uitklapbare hoofdmenu en kies** Opties. **Klik vervolgens op het tabblad** Importeren.

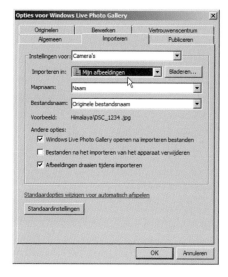

2 Gebruik het pop-up-
menu van Importeren in
om de importlocatie voor
camera's in te stellen en
zorg dat deze op de map
Afbeeldingen staat.
3 **Alternatief: u kunt op
het tabblad** Importeren **ook
klikken op** Standaardinstellingen **om Windows Live
Photo Gallery terug te zetten naar de oorspronkelijke
instellingen.**

8.1e *Waarom moet ik een label invoeren als ik mijn foto's importeer?*

Het korte antwoord is: dat hoeft helemaal niet. Labels (of *tags*) zijn
woorden die u tijdens het importeren kunt toevoegen aan uw foto
om deze te helpen beschrijven, zoals 'familie' of 'vakantie'. Later kunt u
deze labels gebruiken om snel bepaalde foto's op te zoeken. De label-
melding kan ook irritant zijn, dus u kunt haar uitschakelen:

1 **Sluit de camera aan op de usb-poort van uw computer en zet de
camera aan.**
2 **Klik in het** Automatisch afspelen-**scherm dat verschijnt op** Afbeeldingen en video's importeren met Windows**. Klik in het venster** Foto's en
video's importeren **op** Instellingen voor importeren**. Haal het vinkje weg
naast** Bij importeren om label vragen **en klik op** ok**.**

8.1f *Mijn foto's worden automatisch gekanteld wanneer ik ze importeer*

Sommige digitale camera's geven aan of een foto in portret- of land-
schapstand is genomen. Windows zal dan automatisch proberen de

foto te draaien wanneer deze wordt geïmporteerd. Zo schakelt u deze functie uit:

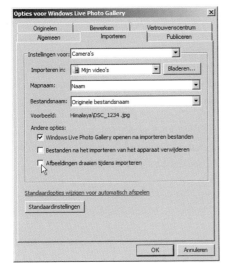

❶ **Klik op de** Startknop, **op** Alle programma's **en dan op** Windows Live. **Start** Windows Live Photo Gallery. **Klik links bovenin op het uitklapbare hoofdmenu en kies** Opties. **Klik vervolgens op het tabblad** Importeren.

❷ **Haal het vinkje weg bij** Afbeeldingen draaien tijdens importeren **en klik op** OK.

8.1g   Ik kan mijn foto's niet bewerken in Windows Live Photo Gallery

Het kan frustrerend zijn om er na het succesvol importeren van een foto achter te komen dat u deze niet kunt bewerken. Als u een foto probeert te bewerken en een melding krijgt dat de foto niet kan worden gewijzigd, kan dit een van de volgende oorzaken hebben.

De foto is alleen-lezen
Wat dit betekent U kunt geen enkele in de foto aangebrachte wijziging opslaan.
Wat u kunt doen Verander de kenmerken van de foto zodat deze niet langer alleen-lezen is. Om dit te doen, opent u *Windows Live Photo Gallery*. Rechtsklik vervolgens op de foto en kies *Eigenschappen*. Klik op het tabblad *Beveiliging* en dan op de knop *Bewerken…* om de machtigingen voor de foto te wijzigen. Selecteer een gebruikers-

naam (dit is meestal uw accountnaam) en zorg
ervoor dat onder *Toestaan* de optie *Wijzigen*
staat aangevinkt, naast *Volledig beheer*, *Lezen en
uitvoeren*, *Lezen* en *Schrijven*.

De foto is opgeslagen op alleen-lezenmedia
Wat dit betekent De aangebrachte verande-
ringen in foto's die zijn opgeslagen op alleen-
lezenmedia, zoals een dvd, kunnen niet worden
opgeslagen.
Wat u kunt doen Kopieer uw foto's van de
alleen-lezenmedia naar uw computer. Zie
pagina 63 voor hulp bij het verplaatsen van
bestanden.

*Windows begrijpt niet wat voor soort bestand de
foto is*
Wat dit betekent De foto is mogelijk opgeslagen in een indeling die Windows Live Photo
Gallery niet herkent, zoals een speciaal bestand
dat door uw digitale camera wordt gebruikt. Sommige bestanden,
zoals RAW en GIF, worden niet ondersteund door Windows Live Photo
Gallery.
Wat u kunt doen Controleer de instructies die bij uw camera werden
meegeleverd om te controleren of foto's kunnen worden opgeslagen
in een indeling die Windows Live Photo Gallery begrijpt, zoals JPG of TIF.

De foto is verplaatst of gewist terwijl deze geopend was
Wat dit betekent Het fotobestand kan zijn verplaatst of gewist van
uw harde schijf terwijl de foto geopend was in Windows Live Photo
Gallery. De foto zal aanwezig blijven in Windows Live Photo Gallery,
zelfs als het bestand is verplaatst of verwijderd, maar Windows Live
Photo Gallery zal uw bewerkingen niet kunnen opslaan.
Wat u kunt doen Controleer of het bestand naar een andere locatie is
verplaatst of zich in de Prullenbak bevindt. Zet het bestand terug naar
de oorspronkelijke locatie.

De foto-indeling werkt niet met labels
Wat dit betekent Het fotobestand is mogelijk van een type dat
geen labels ondersteunt die zijn toegevoegd in Windows Live Photo
Gallery.
Wat u kunt doen U kunt nog steeds labels toevoegen, maar deze zullen voor Windows niet zichtbaar zijn in de Verkenner of op een andere
computer. Sla het bestand op als een bestandstype dat wel compatibel is, zoals JPG of TIF.

Windows kan het originele bestand niet vinden omdat dit is opgeslagen op een apparaat in het netwerk

Wat dit betekent Als u het bestand probeerde te openen vanaf een netwerklocatie, omdat het bestand bijvoorbeeld is opgeslagen op een netwerkschijf of een andere computer in het netwerk, kan het zijn dat dit apparaat niet langer beschikbaar is in het netwerk. Dit heeft hetzelfde effect als het verplaatsen of wissen van het bestand, en Windows Live Photo Gallery kan het oorspronkelijke bestand waar u uw bewerkingen en wijzigingen in op wilt slaan, niet meer vinden.

Wat u kunt doen Controleer of het apparaat of de computer werkt en verbonden is met het netwerk. Zie pagina 78 voor hulp en advies over netwerken.

8.1h Help! Ik heb een foto bewerkt en nu wil ik terug naar de originele versie

Als u wijzigingen heeft aangebracht in een foto, maar niet tevreden bent, kunt u eenvoudig terugkeren naar de originele versie. Windows Live Photo Gallery slaat altijd een kopie van de originele foto op wanneer u hieraan werkt. Zo herstelt u deze:

❶ **Klik in Windows Live Photo Gallery in het** Bewer-ken-**tabblad op** Origineel herstellen**.**

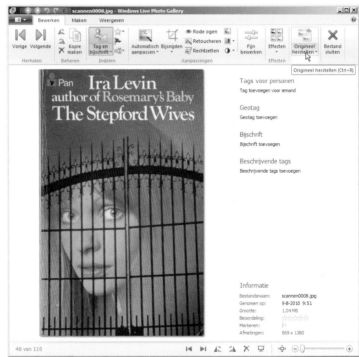

8.2 Problemen met muziek

Problemen bij het afspelen van muziek- en audiobestanden kunnen variëren van helemaal geen geluid horen tot problemen met het afspelen en opslaan van muziekbestanden.

8.2a Help! Mijn computer speelt helemaal geen geluid af
Als u op *Afspelen* klikt en er komt geen enkel geluid uit uw computer,

kan dat een hardwareprobleem zijn, zoals een probleem met uw luidsprekers of de geluidskaart, maar ook een softwareprobleem, zoals een niet goed functionerende Windows Media Player – het standaard gebruikte programma voor het afspelen van muziek en video op uw computer.

Sluit eerst fysieke audioproblemen uit, zoals problemen met de geluidskaart. Uitgebreid advies over omgaan met dergelijke geluidsproblemen vindt u op pagina 21.

8.2b *Probeer de Probleemoplosser voor Windows Media Player-instellingen*

Als u nog steeds geluidsproblemen heeft en de oplossingen op pagina 21 heeft uitgesloten, kunt u een poging wagen met de Probleemoplosser voor Windows Media Player-instellingen. Deze onderzoekt de instellingen voor Windows Media Player om ervoor te zorgen dat alle muziek die u van een cd of internet heeft gehaald met succes kan worden afgespeeld.

❶ Klik op de Startknop **en dan op** Configuratiescherm. **Typ in het zoekvak 'probleemoplossing' en klik in de lijst met resultaten op** Probleemoplossing.

❷ Klik in de lijst met resultaten op Alles weergeven **en klik vervolgens op** Windows Media Player-instellingen. **Volg de instructies op het scherm om eventuele problemen op te lossen die de Probleemoplosser tegenkomt.**

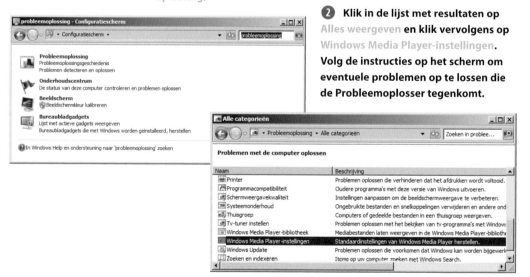

8.2c *Help! Ik heb een probleem met het kopiëren van muziek naar mijn computer*

Bij het kopiëren van een cd naar een computer worden de nummers overgezet in een indeling die Windows Media Player begrijpt, zoals mp3, en opgeslagen in een eigen ruimte in Windows. Vervolgens kunt u uw apparaten, zoals een mp3-speler, met deze bestanden synchroniseren zodat u de muziek overal mee naartoe kunt nemen.

Mp3

Een bestandsindeling voor digitale muziek. De kracht van deze bestandsvorm is dat het niet gekoppeld is aan een bepaalde fabrikant, zoals dat wel het geval is bij AAC (Apple) en WMA (Microsoft).

8.2d Ik kan de muziekbestanden die ik zojuist naar mijn computer heb gekopieerd niet vinden

Als u muziekbestanden van een cd naar uw computer kopieert of muziekbestanden heeft gedownload via een onlinewinkel, zoals Amazon.com, worden de muziekbestanden in de *Muziekbibliotheek* geplaatst. Zo wijzigt u deze standaardlocatie:

1 **Klik op de** Startknop, **op** Alle programma's **en vervolgens op** Windows Media Player. **Klik op** Organiseren **en dan op** Opties. **Klik op het tabblad** Muziek rippen. **Klik op de knop** Wijzigen... **om de locatie te kiezen waar muziek op uw computer wordt opgeslagen.**

8.2e De namen van mijn muziekbestanden zijn vreemd

Als u niet tevreden bent over de namen die tijdens het downloaden of kopiëren automatisch aan uw muziekbestanden worden gegeven, kunt u deze wijzigen via Windows Media Player:

1 **Klik op de** Startknop, Alle programma's **en dan op** Windows Media Player. **Klik op** Organiseren **en dan op** Opties. **Klik op het tabblad** Muziek rippen. **Klik op de knop** Bestandsnaam... **en vink de opties aan, zoals Artiest, die u in de bestandsnaam wilt terugzien. Klik op** OK.

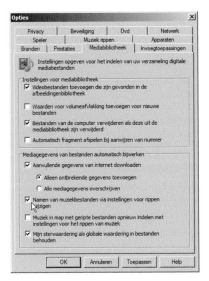

2 **Klik op het tabblad** Mediabibliotheeken **en vink** Namen van muziekbestanden via instellingen voor rippen wijzigen **aan. Klik op** OK.

8.2f   De audio die ik kopieer slaat stukjes over en kraakt

Terwijl u muziek naar uw computer kopieert, kunt u alvast muziekbestanden beluisteren, maar dit kan ervoor zorgen dat de gekopieerde muziek niet intact wordt gekopieerd. Voor de beste kopie vermijdt
u dus liever andere activiteiten op uw computer terwijl Windows
Media Player muziek naar uw computer kopieert.

8.2g   Windows Media Player-problemen en -tips

Windows Media Player is de standaardspeler in Windows 7 en kan
veel problemen met de geluidsweergave verhelpen. Hierna volgen
enkele veelvoorkomende problemen en oplossingen.

8.2h   Hoe kan ik naar internetradio luisteren op mijn computer?

U hoeft geen speciaal programma te downloaden om op uw computer naar radiostations op internet te luisteren. Windows Media Player
heeft zijn eigen radiodienst, die wel een beetje verstopt zit:

❶ Klik op de
Startknop, op
Alle program-
ma's en dan op
Windows Media
Player. Open de
Media Guide en
klik op Internet
Radio. Er ver-
schijnt nu een
lijst met online-
radiozenders.
❷ Klik op
verschillende
muziekgenres
om uw selectie
te beperken
of klik in het
Search-vak om een zoekterm in te voeren, zoals 'jazz'. Klik op de naam
van een zender om de muziek af te spelen.

8.2i   Mijn internetradiozender speelt geluid haperend af

Als u luistert naar onlinemuziek, zoals een internetradiozender, en
deze hapert regelmatig gedurende enige tijd, moet u de netwerkbuffer vergroten – een ruimte die met muziek wordt gevuld voordat
deze wordt afgespeeld. Dit zorgt ervoor dat er altijd genoeg audio
gedownload is om de muziek vloeiend af te spelen:

❶ **Klik op de** Startknop, Alle programma's **en start** Windows Media Player. **Klik op** Organiseren **en dan op** Opties.

❷ **Klik op het tabblad** Prestaties **en verhoog de netwerkbuffer naar bijvoorbeeld 30 seconden. Hierdoor wordt er 30 seconden muziek gedownload voordat het afspelen begint. Zo bent u ervan verzekerd dat er altijd genoeg muziek op voorraad is voor een vloeiende weergave.**

8.2j Mijn audiobestanden zijn niet te openen in Windows Media Player

Sommige bestanden die in Windows Media Player kunnen worden afgespeeld, zijn zo ingesteld dat ze standaard met een ander programma worden geopend, zoals een onlangs geïnstalleerd geluidsbewerkingsprogramma. Zo stelt u Windows Media Player in om de gewenste bestanden af te spelen:

❶ **Klik op de** Startknop **en dan op** Computer. **Zoek een bestandstype op dat u wilt afspelen via Windows Media Player. Rechtsklik op het bestand, kies** Openen met... **en vervolgens** Standaard programma selecteren.

❷ **Klik op het programma dat u wilt gebruiken, zoals Windows Media Player, om voortaan dergelijke bestanden te openen. Zet een vinkje bij** Dit type bestand altijd met dit programma openen **en klik op** OK.

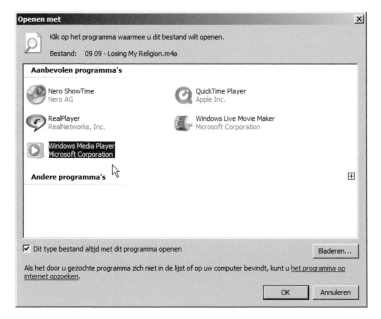

8.2k *De volumeverschillen tussen nummers zijn hinderlijk*

Het kan irritant zijn om bij elk nieuw nummer naar de volumeknop te moeten grijpen, omdat elk nummer is opgenomen op een verschillend geluidsniveau. Dit kan gebeuren als u naar nummers luistert van verschillende albums. U kunt de grote volumeverschillen tussen nummers verminderen als deze door Windows Media Player zijn gecodeerd in Windows Media Audio (WMA) of mp3. Dit doet u via *Automatische volumeafvlakking*:

1 **Klik op de** Startknop, **op** Alle programma's **en start de** Windows Media Player. **Schakel naar de** Nu afspelen-**stand (rechts onderin op het symbool klikken met de vierkantjes en de pijl).**

2 **Klik in de** Nu afspelen-**stand met de rechtermuisknop op het afspeelscherm en kies** Opties. **Klik vervolgens op** Crossfading en automatische volumeafvlakking.

3 **Klik op de link** Automatische volumeafvlakking inschakelen. **Om volumeafvlakking toe te voegen aan een bestand, moet u het gehele bestand afspelen met de automatische volumeafvlakking ingeschakeld. Klik wanneer u klaar bent op de knop** Sluiten **in het venster** Crossfading en automatische volumeafvlakking.

8.2l   De muziek slaat stukjes over of wordt afgebroken tijdens het afspelen

Als muziek aan het einde van nummers wordt afgebroken of gaat haperen, kan dit te wijten zijn aan de luidsprekeropties van uw computer. U moet alle luidsprekeraanpassingen uitschakelen en, als dat het probleem oplost, vervolgens uw audiostuurprogramma's bijwerken:

❶ **Klik op de** Startknop **en dan op** Configuratiescherm**. Typ in het zoekvak 'geluid' en klik in de lijst met resultaten op** Geluid**. Klik op het tabblad** Afspelen**, dan op** Luidsprekers **en vervolgens op** Eigenschappen**.**
❷ **Klik op het tabblad** Verbeteringen **en zet een vinkje bij** Alle geluidseffecten uitschakelen**.**

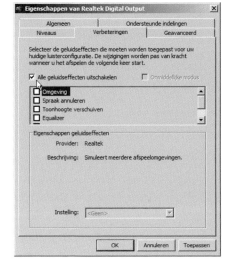

Als dit het probleem met het afspelen van uw audio oplost, moet u het audiostuurprogramma bijwerken. Zie pagina 184 voor hulp bij het updaten van stuurprogramma's.

Tip

Alles over digitale video is een praktisch handboek met tips over apparatuur, het maken van goede filmopnamen, videobewerking en daarbijbehorende programma's. Het boek kost €18,75 (niet-ledenprijs €23,50), inclusief dvd met leerzame oefeningen. www.consumentenbond. nl/webshop.

8.3   Problemen met video afspelen

Computers met Windows 7 zijn te gebruiken om video te bekijken, maar ook om video te bewerken en te delen. Problemen met het afspelen van video kunnen er onder andere voor zorgen dat u helemaal geen video kunt bekijken of dat u wordt geplaagd door haperende video's of dvd's.

8.3a   Help! Ik kan geen video bekijken op mijn computer
Als u op *Afspelen* klikt in uw videoprogramma, zoals Windows Media Player, maar uw computer speelt geen video af, dan kan dit een hardwareprobleem zijn, zoals de videokaart die beelden op het scherm weergeeft, of een softwareprobleem, zoals een niet goed werkende Windows Media Player.

8.3b   Problemen verhelpen met de videoadapter
De videoadapter is een hardwareonderdeel dat verantwoordelijk is voor het versturen van beelden van uw computer naar het scherm.

Veel fabrikanten leveren gratis updates voor videoadapters die problemen met videoweergave kunnen oplossen. Zo komt u erachter welke videoadapter in uw computer zit:

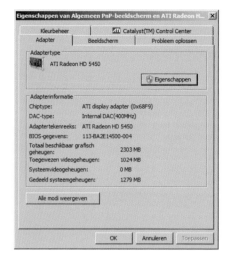

❶ **Klik op de** Startknop **en dan op** Configuratiescherm. **Klik onder** Vormgeving en persoonlijke instellingen **op** Beeldschermresolutie aanpassen.

❷ **Klik op** Geavanceerde instellingen **en dan op het tabblad** Adapter. **Hier ziet u de gegevens van uw videoadapter.**

❸ **Ga voor hulp en advies naar het supportgedeelte van de website van de fabrikant van uw videoadapter.**

Eventueel moet u het stuurprogramma van uw videoadapter bijwerken – hiermee brengt u deze weer up-to-date. Zie pagina 184 voor hulp over het updaten en installeren van nieuwe stuurprogramma's.

8.3c Gebruik de Probleemoplosser Windows Media Player-instellingen

Als u nog steeds videoproblemen heeft en zeker weet dat het niet met de videoadapter te maken heeft, kunt u de Probleemoplosser Windows Media Player-instellingen uitvoeren (zie pagina 160). Deze onderzoekt de instellingen voor Windows Media Player, zodat u zeker weet dat elke video met succes kan worden afgespeeld.

8.3d Ik bekijk een dvd op mijn computer, maar ik heb geluidsproblemen

Als u op *Afspelen* klikt en uw dvd speelt de video af zonder geluid of met haperend, onderbroken geluid, kan er een probleem zijn met uw luidsprekers of met het stuurprogramma van uw geluidskaart. Het kan ook te maken hebben met een verkeerde instelling in Windows.

Sluit eerst fysieke audioproblemen uit, zoals problemen met de geluidskaart. Volledig advies over het omgaan met dergelijke geluidsproblemen is te vinden op pagina 21.

1 Klik op de knop Luidsprekers in de taakbalk (rechts-onder in het Windows-scherm). Verplaats de schuiven omhoog om het volume van de luidsprekers te verhogen. Let op dat de Dempen-functie niet is ingeschakeld (deels rood luidsprekersymbool).

Zo controleert u het geluidsvolume in Windows Media Player:

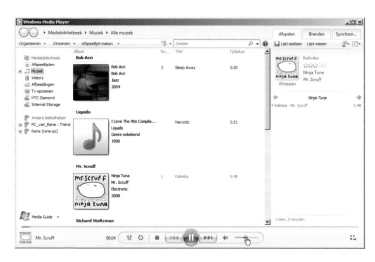

2 Start Windows Media Player. Beweeg de volumeschuif om het volume aan te passen. Let erop dat het Dempen-symbool niet is geselecteerd.

Als deze handelingen het probleem niet hebben opgelost, moet u mogelijk uw geluidsinstellingen aanpassen:

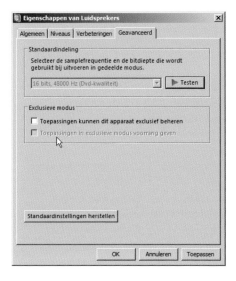

1 Klik op de Startknop en dan op Configuratiescherm. Klik in dit scherm op Hardware en geluiden en dan op Geluid. Rechtsklik op het standaard ingestelde afspeelapparaat (aangegeven door een groen vinkje ernaast) en kies Eigenschappen.

2 Kies het tabblad Geavanceerd en haal alle vinkjes weg onder Exclusieve modus. Klik op OK.

8.3e   *De video in Windows 7 is van erg slechte kwaliteit*

Het afspelen van video op een computer kan veel vergen van de hulpbronnen van de computer. U dient daarom de manier waarop uw computer staat ingesteld om video af te spelen zo veel mogelijk te optimaliseren.

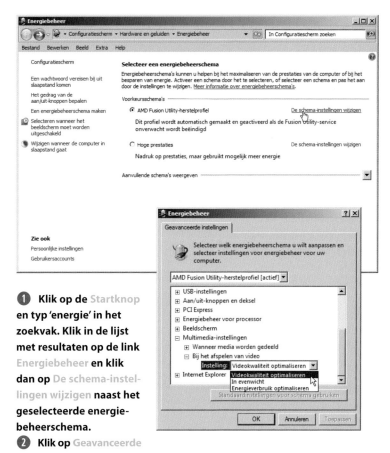

① **Klik op de** Startknop
en typ 'energie' in het
zoekvak. Klik in de lijst
met resultaten op de link
Energiebeheer **en klik**
dan op De schema-instel-
lingen wijzigen **naast het**
geselecteerde energie-
beheerschema.

② **Klik op** Geavanceerde
energie-instellingen wijzigen **en klik op het kruisje naast** Multimedia-instel-
lingen **om de opties hiervan uit te klappen. Zorg ervoor dat** Bij het afspelen
van video **staat ingesteld op** Videokwaliteit optimaliseren**.**

8.3f *Ik krijg een foutmelding dat Windows Media Player het video-*
bestand niet kan afspelen

U krijgt deze foutmelding wanneer Windows Media Player de
bestandsindeling van het videobestand niet herkent en dus niet
in staat is het bestand af te spelen. Windows Media Player maakt
gebruik van codecs – kleine 'taalprogramma's' die Windows Media
Player helpen de verschillende soorten videobestanden te begrijpen
en af te spelen. Zo weet u of er een codec beschikbaar is die u kunt
downloaden en installeren in Windows Media Player:

① **Klik in de foutmelding op** Help op het web**. Hiermee gaat u naar**
Microsofts supportwebsite die u kan helpen om de benodigde codec te
downloaden.

8.4   Problemen met videobewerking

Video's en zelfgemaakte filmpjes kun je in Windows 7 op allerlei
manieren importeren, bekijken en bewerken. De vele videobewerkingsprogramma's hebben elk hun eigen manier van werken.

Microsoft heeft een gratis videobewerkingsprogramma voor
Windows 7: Windows Live Movie Maker. Hiermee kunt u video importeren, ordenen, bewerken en delen met anderen. U kunt Windows
Live Movie Maker gratis downloaden via http://explore.live.com/win-
dows-live-movie-maker?os=other (zet deze pagina eventueel eerst
op Nederlands door helemaal rechts onderin op *English* te klikken, en
daarna in het keuzescherm *Dutch* te selecteren). De hulp en adviezen
over videobewerking in dit boek hebben betrekking op Windows Live
Movie Maker.

8.4a   *Welke indeling moet ik gebruiken om video te importeren in Windows Live Movie Maker?*

Wanneer u een camcorder aansluit op uw computer, kunt u video
importeren in een bepaalde bestandsindeling. Helaas zijn er heel veel
van deze bestandsindelingen voor video. Als u de verkeerde kiest, kan
dit leiden tot problemen met het afspelen van video. Hieronder vindt
u een handleiding voor probleemloze video-indelingen.

8.4b   *Ik importeer vanaf een camcorder*

Kies ervoor video te importeren als Windows Media Video (wmv) of
gebruik de bestandsindeling die de camera gebruikt om video in op
te slaan, zoals Audio Video Interleave (avi).

8.4c   *Uiteindelijk wil ik mijn video afspelen op videoband*

Als u van plan bent uw video op te slaan op een videoband (in plaats
van bijvoorbeeld dvd) nadat u de opnamen bewerkt heeft op uw
computer, moet u kiezen voor avi als video-indeling.

8.4d   *Ik heb weinig harddiskruimte op mijn computer*

Alle video-indelingen nemen verschillende hoeveelheden opslagruimte in beslag op een computer. Dit betekent dat u, als u de verkeerde indeling kiest, ruimte tekort kunt hebben om video te importeren vanaf uw camcorder. Het importeren van een uur video in wmv
zal bijvoorbeeld circa 1 gb harddiskruimte kosten. Dezelfde hoeveelheid video zal ongeveer 13 gb ruimte innemen als u deze importeert
in avi.

Tip

In het boek *Alles over
digitale video* leert u hoe
u het best filmpjes kunt
maken, bewerken en
uploaden. Bij dit boek
ontvangt u een dvd met
zo'n 40 instructiefilm-
pjes. Prijs: €18,75 (Niet-
ledenprijs €23,50). www.
consumentenbond.nl/
webshop.

8.4e Mijn computer is niet zo krachtig

Als u niet beschikt over een erg snelle computer met heel veel geheugen, loont het de moeite video te importeren in wmv-indeling. Dit
gebruikt namelijk minder hulpbronnen en resulteert in minder gemis-
te frames en importeerproblemen.

8.4f Ik wil mijn video importeren als een groot bestand, maar het wordt steeds opgeslagen als een heleboel verschillende bestandjes

Het kan een voordeel zijn om uw videoclips te importeren als afzon-
derlijke bestanden in de wmv-indeling. Soms wilt u alle video op uw
camcorder als een enkel, lang avi-bestand importeren. Als u dit doet,
en de video wordt nog steeds opgeslagen in verschillende bestanden,
kan dit een van de volgende oorzaken hebben:

De beeldverhouding van de video is veranderd Als u video begon op
te nemen in een bepaalde beeldverhouding, zoals standaard (ook
bekend als 4:3), en uw camcorder vervolgens gebruikte om een scène
in breedbeeld op te nemen (16:9), zal Windows Live Movie Maker elk
videosegment als een apart bestand opslaan met zijn eigen beeldverhouding.

De video-indeling verandert op de tape Als uw camcorder video kan
opslaan in verschillende indelingen en u verandert halverwege de
tape of video van indeling, zal Windows Live Movie Maker elke video-
indeling opslaan als een apart bestand.

8.4g De dvd die ik heb opgenomen in Windows is niet af te spelen op de dvd-speler thuis

Beschrijfbare dvd's zijn er in verschillende soorten, zoals dvd+r (een-
malig te branden) en dvd+rw (herschrijfbaar). Oudere dvd-spelers
kunnen niet alle beschrijfbare dvd-indelingen afspelen. Zie de handleiding van uw dvd-speler voor nadere details, en koop en gebruik
vervolgens de geschikte schijven.

Ook is het van belang om te controleren of uw schijf correct is geformatteerd en voltooid voor het afspelen in een dvd-speler thuis. Dit
behoort automatisch te gebeuren bij gebruik van Windows Live
Movie Maker.

8.4h Het lijkt erop dat ik mijn video niet kan delen

Windows Live Movie Maker kan door u gemaakte video's rechtstreeks delen op de website YouTube, maar daarvoor heeft u wel een
YouTube-account nodig. Zo deelt u een video:

1 Klik op de Startknop en op Alle programma's. Klik vervolgens op Windows Live Movie Maker.

2 Open de video die u wilt delen via Video of foto toevoegen. Klik op het tabblad Delen op YouTube.

3 Kies de resolutie van de film. Hierbij wordt direct een schatting gemaakt van de bestandsgrootte.

4 Voer uw YouTube-gebruikersnaam en -wachtwoord in en klik op Aanmelden. Geef de video een titel, een beschrijving, *tags* (labels) en selecteer een categorie (zoals *Muziek* of *Sport*) waaronder u uw video op YouTube wilt publiceren.

5 Beslis of u uw film *Openbaar* (iedereen kan hem zien) of *Privé* maakt (alleen geselecteerde personen kunnen hem bekijken). Klik ten slotte op Publiceren.

9 HOUD UW PC GEZOND

Door alle stappen in dit hoofdstuk te
lezen en te volgen, leert u:

- veilig een back-up te bewaren van bestanden
  en de pc te herstellen als er iets misgaat
- fouten aan de harde schijf te repareren en
  stuurprogramma's bij te werken en te installeren
- uw pc sneller te maken, uw pc opgeruimd te
  houden en enkele huishoudelijke tips

9.1   Maak een back-up van uw bestanden

Zoals bij elke verzekeringsvorm kan het maken van een back-up voelen als een verspilling van tijd en geld – totdat u het echt nodig heeft. Denkt u eens in hoe het zou voelen als u op een dag al uw kostbare familiefoto's, video's van speciale gebeurtenissen of uw muziekverzameling kwijtraakt!

Met een goede back-upstrategie is er geen reden tot paniek – u heeft nog een kopie van uw bestanden en mappen opgeslagen op een aparte schijf of misschien zelfs online. Op deze manier kunt u uw bestanden herstellen.

U kunt een draagbare externe harde schijf gebruiken of alles opslaan op losse schijven (dvd's) en uw gegevens veilig buiten uw woning bewaren. De meeste externe harde schijven worden geleverd met software, maar die is soms minder flexibel dan sommige losstaande programma's die u apart kunt kopen.

9.1a   Externe harde schijven
Externe harde schijven voegen opslagruimte toe aan een computer die kreunt onder het gewicht van grote hoeveelheden software, muziek, films en foto's. En ze vormen een goede plek om kopieën van uw belangrijke data te bewaren, voor het geval uw harde schijf het begeeft. Wees wel voorzichtig, want ze zijn gevoelig voor stoten.

9.1b   Desktopharddisks
Desktopharddisks plaatst u naast of op uw pc en ze zijn daar vrijwel altijd mee verbonden. Ze worden geleverd met een externe voeding die een eigen stopcontactaansluiting nodig heeft. De meeste worden aangesloten via usb. Kies een desktopharddisk als u extra opslagruimte aan uw pc wilt toevoegen voor het maken van back-ups en u niet van plan bent hem mee te nemen.

Back-up

Een kopie van uw bestanden of programma's om deze veilig te bewaren.

9.1c   Draagbare harddisks
Draagbare harddisks zijn erg klein. Ze hebben geen aparte voeding nodig, maar halen hun stroom van de pc, via de usb-kabel. Ze hebben vaak minder opslagruimte dan desktopharddisks, maar ze zijn wel makkelijker mee te nemen.

9.1d   Netwerkschijven
Als u een thuisnetwerk heeft, kunt u een netwerkhardeschijf (NAS) overwegen. Deze kunt u aansluiten op uw netwerk, zodat iedereen in dat netwerk er bestanden op kan opslaan. De snelheid van een harde

schijf op uw netwerk zal direct beïnvloed worden door het langzaam-
ste deel van het netwerk – bijvoorbeeld door uw wifiverbinding of uw
router.

9.1e   Back-upsoftware
Windows 7 bevat back-upsoftware als onderdeel van het besturingssysteem. U kunt ook gratis of commerciële back-upsoftware gebruiken.

Er bestaat geen back-upoplossing die perfect past bij elke situatie.
Het is ook niet noodzakelijk een back-up te maken van alles wat op
uw computer staat. Eigenlijk hoeft u alleen kopieën te maken van wat
belangrijk voor u is, zoals e-mails, foto's en privéfilms.

WiFi

Een draadloos netwerk-
systeem dat met hoge
snelheid gegevens kan
overzetten tussen veel
verschillende apparaten.

Goede back-upsoftware
maakt kopieën van uw
bestanden op een auto-
matische, systematische,
probleemloze manier en
zorgt ervoor dat u een
kopie heeft van de laatste
versie van uw bestanden.
Back-upsoftware maakt
regelmatig van alles een
back-up naar bijvoorbeeld
uw externe harde schijf en
bewaart zelfs een kopie
van uw interne harddisk.

Het is een goed idee om minimaal eenmaal per week een back-up
te maken, afhankelijk van het belang van uw gegevens. Veel programma's doen dit automatisch voor u op een vooraf ingestelde tijd.
Controleer of het programma van uw keus deze optie ook heeft.

9.2   Hoe vaak maak ik een back-up van bestanden?

Windows 7 heeft een *Back-up- en Herstel*-functie die digitale kopieën
maakt van uw persoonlijke bestanden en mappen. Deze functie kan
worden gebruikt om een back-up te maken van specifieke mappen
of van alles, in geval van een crash. U moet een back-upharddisk (of
NAS) hebben aangesloten op de computer om een back-up te maken
van uw gegevens – zie pagina 174 voor advies over het kiezen van de
juiste schijf:

1 **Klik op de** Startknop **en dan op** Configuratiescherm. **Klik in dit scherm op** Systeem en beveiliging **en dan op** Back-up maken en terugzetten.

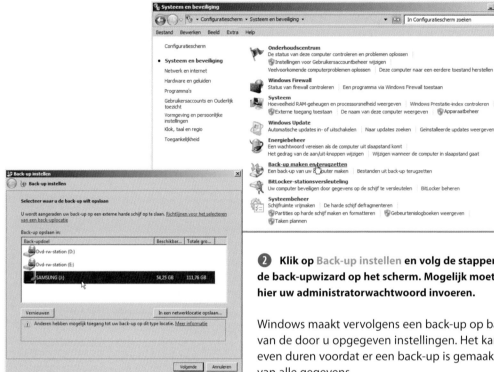

2 **Klik op** Back-up instellen **en volg de stappen in de back-upwizard op het scherm. Mogelijk moet u hier uw administratorwachtwoord invoeren.**

Windows maakt vervolgens een back-up op basis van de door u opgegeven instellingen. Het kan even duren voordat er een back-up is gemaakt van alle gegevens.

U dient een tijdschema te maken voor automatische back-ups via de *Back-up- en Herstel*-wizard. Windows zal dan op gezette tijden zelf een kopie maken van nieuw toegevoegde en gewijzigde bestanden.

9.2a   *Direct een back-up maken*
Ook als u de automatische back-upfunctie heeft ingesteld, is het mogelijk direct een back-up uit te voeren.

1 **Klik op de** Startknop **en dan op** Configuratiescherm. **Klik op** Systeem en beveiliging **en dan op** Back-up maken en terugzetten.
2 **Klik op** Nu back-up maken. **Mogelijk moet u hier uw administrator-wachtwoord invoeren.**

9.2b   *Hoe zet ik een back-up van mijn bestanden terug?*
Als uw bestanden zijn gewist, per ongeluk zijn gewijzigd of als u om een andere reden de bestanden moet herstellen waarvan u eerder een back-up heeft gemaakt, volgt u deze stappen:

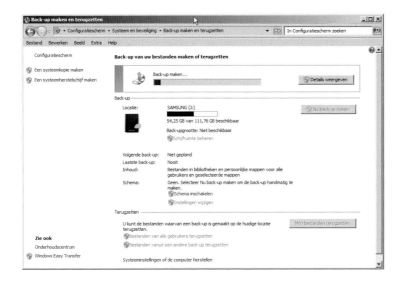

① Klik op de Startknop en dan op Configuratiescherm. Klik in dit scherm op Systeem en beveiliging en dan op Back-up maken en terugzetten.

② Klik op Mijn bestanden terugzetten.

③ Als u slechts een aantal specifieke bestanden wilt terugzetten, klikt u op Bladeren naar bestanden of Bladeren naar mappen. Kies de bestanden of mappen die u wilt terugzetten.

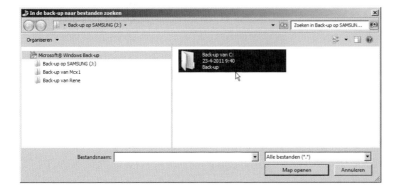

Tip

U kunt in het venster *Bestanden terugzetten* zoeken naar back-up-bestanden. Klik op *Zoeken* en typ (een deel van) de bestandsnaam. Klik daarna op de knop *Zoeken*.

9.3 Een systeemherstelschijf maken

Als er iets ernstig misgaat met uw computer, is het belangrijk om een systeemherstelschijf te hebben gemaakt. Dit kan u helpen Windows 7 te repareren. De systeemherstelschijf wordt gebruikt als u geen toegang heeft tot een Windows 7-installatieschijf of de herstelopties – zoals een herstel-cd – die met uw computer werden meegeleverd.

Een systeemherstelschijf kan op elk moment worden gemaakt, en het is goed om dit te doen als u uw pc gezond wilt houden. U heeft een lege cd of dvd nodig om er een te maken.

9.3a Een systeemherstelschijf maken

1 **Klik op de** Startknop **en dan op** Configuratiescherm.

2 **Klik op** Systeem en beveiliging **en dan op** Back-up maken en terugzetten.

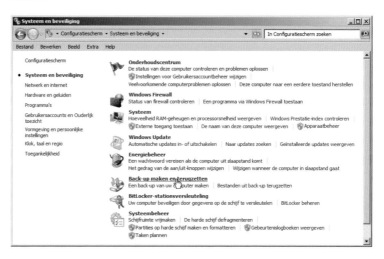

3 **Klik bij de opties in het linkerpaneel op** Een systeemherstelschijf maken. **Mogelijk moet u hier uw administratorwachtwoord invoeren.**

4 **Volg de eventuele instructies op het scherm, en voer uw lege cd of dvd in wanneer hierom wordt gevraagd.**

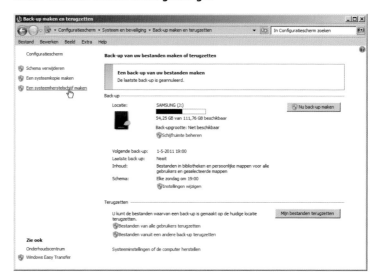

9.3b   De systeemherstelschijf gebruiken

Als u een ernstig probleem heeft met Windows, kunt u de systeemherstelschijf gebruiken om dit op te lossen.

1 **Plaats de systeemherstelschijf in uw cd- of dvd-drive.**
2 **Herstart uw computer door op de aan-uitknop te drukken.**
3 **Druk als Windows hierom vraagt op een willekeurige toets om de**
computer op te starten
vanaf de systeem-
herstelschijf.

4 **Bevestig of wijzig**
eventueel de Taalinstel-
lingen **en klik op** Volgende**.**
5 **Selecteer de optie**
Opstartherstel **en klik**
op Volgende**.**

9.4   Herstel uw computer

Als uw computer te maken heeft met een ernstige crash of een groot
softwareprobleem, zou het natuurlijk geweldig zijn om de klok even
terug te kunnen zetten naar een moment vlak voor de crash, toen
alles nog prima werkte.

Dat is precies wat Systeemherstel in Windows 7 doet. Het zet de systeembestanden van uw computer terug naar de datum waarop alles
nog goed werkte, en u kunt zien welke bestanden worden verwijderd
of toegevoegd wanneer uw computer wordt hersteld.

Systeemherstel gebruikt herstelpunten die als een soort mijlpalen
dienen voor uw pc. Ze kunnen worden gecreëerd volgens een vast
schema of voorafgaand aan een ingrijpende actie, zoals het installeren van software. Indien nodig kunt u Systeemherstel vervolgens
gebruiken om uw pc terug te zetten naar de situatie zoals die was
toen er een herstelpunt werd gemaakt.

9.4a   Systeemherstel instellen

Voordat u Systeemherstel gaat gebruiken, is het belangrijk dat u alle
actieve programma's heeft afgesloten en alle open bestanden heeft
opgeslagen. Zodra een herstelpunt ingesteld staat, zal uw computer
zichzelf automatisch herstarten. Start dit proces dus pas als u klaar bent:

Tip

Als Windows u vraagt
om een Windows-
installatieschijf, betekent
dit dat uw computer
niet de bestanden op de
harde schijf heeft staan
die nodig zijn voor het
maken van een systeem-
herstelschijf. Plaats de
Windows 7-installatie-
schijf in de drive om verder te gaan.

① **Klik op de** Start-
knop **en rechtsklik op**
Computer. **Klik vervol-
gens op** Eigenschap-
pen **in het pop-up-
menu dat verschijnt.**
② **Klik in het linker-
paneel op** Systeem-
beveiliging.

③ **Klik op het tabblad** Systeem-
beveiliging **en dan op** Maken.
④ **Typ een omschrijving, zoals
'herstelpunt 28 april 2011' of 'herstelpunt na update', en klik dan op**
Maken.

Er wordt nu automatisch een herstelpunt gemaakt en uw computer
zal herstarten. Na het opstarten kunt u de computer normaal gebruiken. Als u een probleem tegenkomt, kunt u uw computer terugzetten naar de staat waarin deze verkeerde toen u het herstelpunt
maakte.

9.4b Een herstelpunt kiezen waarnaar u de computer terug wilt zetten

Als u merkt dat er iets misgaat met uw computer en u wilt een sys-teemherstelpunt gebruiken, moet u wel het juiste herstelpunt weten te kiezen. Normaal gesproken raadt Systeemherstel aan het herstel-punt te gebruiken dat gemaakt werd voordat het probleem de eerste maal optrad. Gebruik de beschrijving over de herstelpunten, zoals te vinden in stap 4 op de vorige pagina.

9.4c Systeemherstel gebruiken voor het herstellen van uw computer

Als u de staat van de computer moet terugzetten naar een voorgaand herstelpunt, volgt u deze stappen:

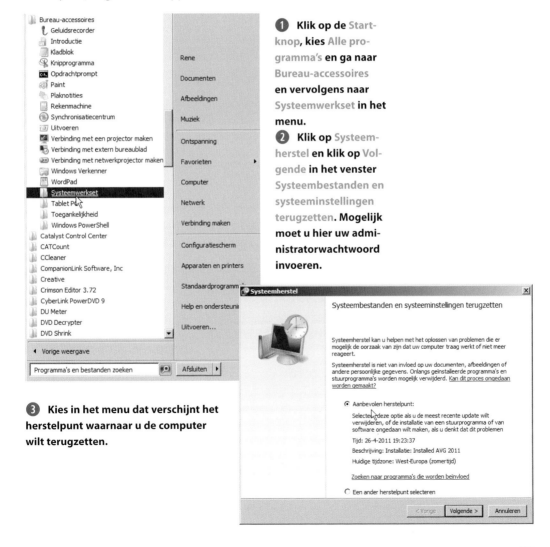

1 **Klik op de** Start-knop, **kies** Alle pro-gramma's **en ga naar** Bureau-accessoires **en vervolgens naar** Systeemwerkset **in het menu.**

2 **Klik op** Systeem-herstel **en klik op** Vol-gende **in het venster** Systeembestanden en systeeminstellingen terugzetten. **Mogelijk moet u hier uw admi-nistratorwachtwoord invoeren.**

3 **Kies in het menu dat verschijnt het herstelpunt waarnaar u de computer wilt terugzetten.**

4 Klik op Volgende en dan in het scherm Herstelpunt bevestigen op Voltooien om te starten met het herstellen van uw computer.
5 Klik op Ja bij de melding Systeemherstel kan niet worden onderbroken nadat het is gestart. Wilt u doorgaan?

Het kan enkele minuten duren, maar Windows 7 zal worden hersteld naar de staat van het herstelpunt dat u selecteerde in stap 3. Zodra dit klaar is, zal uw computer zichzelf opnieuw opstarten.

9.4d *Kan ik de wijzigingen ongedaan maken die Systeemherstel aanbrengt?*

Als u per ongeluk een verkeerd herstelpunt heeft gekozen, is er niets aan de hand. Systeemherstel creëert automatisch een tweede herstelpunt, zodat u de computer kunt terugzetten naar het punt vlak voordat u het verkeerde herstelpunt koos. Zo maakt u een herstelpunt ongedaan:

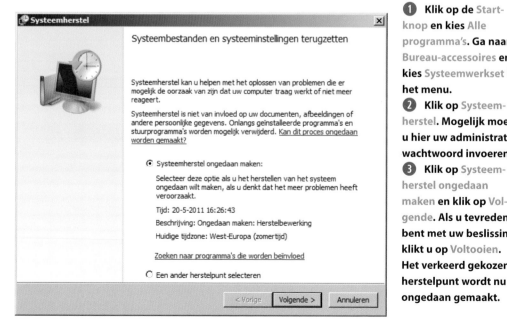

1 Klik op de Startknop en kies Alle programma's. Ga naar Bureau-accessoires en kies Systeemwerkset in het menu.
2 Klik op Systeemherstel. Mogelijk moet u hier uw administratorwachtwoord invoeren.
3 Klik op Systeemherstel ongedaan maken en klik op Volgende. Als u tevreden bent met uw beslissing, klikt u op Voltooien. Het verkeerd gekozen herstelpunt wordt nu ongedaan gemaakt.

9.4e Systeemherstelpunten opslaan

Systeemherstelpunten hebben geen uiterste gebruiksdatum en blijven bewaard totdat de op uw harde schijf toegewezen ruimte voor herstelpunten volledig is gebruikt. Als er geen ruimte meer is, zullen de nieuwste herstelpunten automatisch de oudste overschrijven.

9.5 Windows en programma's bijwerken

Uw computer up-to-date houden is een belangrijke taak die allerlei problemen kan verhelpen en ergernissen kan voorkomen. Ook zorgt het ervoor dat u beschermd bent tegen storingen en defecten die gaandeweg worden ontdekt. Windows 7 heeft een automatische updatefunctie die ervoor zorgt dat Windows-updates worden gedownload en geïnstalleerd op het moment dat ze beschikbaar zijn. Wij raden u aan om de automatische updatefunctie van Windows te gebruiken.

Tip

Systeemherstel heeft uitsluitend invloed op Windows 7-bestanden (zoals systeembestanden, programma's en instellingen). Het heeft geen effect op uw persoonlijke gegevens, zoals e-mail, foto's en documenten.

Tip

Zet als u een herstelpunt niet ziet een vinkje bij de optie *Meer herstelpunten weergeven*, om meer te zien dan uitsluitend de laatste herstelpunten.

9.5a Automatisch updates downloaden

❶ **Klik op de** Startknop **en typ 'update' in het zoekvak. Klik vervolgens in de lijst met resultaten op** Windows Update**.**

❷ **Klik op** Instellingen wijzigen **in het linkerpaneel. Kies onder** Belangrijke updates **de gewenste optie, en vink onder** Aanbevolen updates **de optie** Aanbevolen updates op dezelfde manier ontvangen als belangrijke updates **aan. Eventueel moet u hier uw administratorwachtwoord invoeren.**

9.5b Ik heb problemen met het automatisch installeren van updates

Als u de automatische updatefunctie van Windows heeft ingesteld, maar problemen heeft met het downloaden of installeren ervan, kunt u de Probleemoplosser Windows Update gebruiken om veelvoorkomende problemen op te lossen rond Windows Update:

❶ **Klik op de** Startknop **en dan op** Configuratiescherm**.**
❷ **Typ 'probleemoplossing' in het zoekvak van het configuratiescherm**

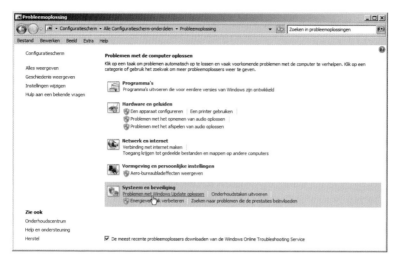

en klik in de lijst
met resultaten op
Probleemoplossing.

③ Klik in het scherm
onder Systeem en
beveiliging op Pro-
blemen met Windows
Update oplossen.

④ Volg de instructies
op het scherm om pro-
blemen met Windows
Update op te sporen en
automatisch te repa-
reren.

9.5c *Windows Update wil mijn computer opnieuw opstarten*

Dit is normaal na het downloaden en installeren van een update.
Nadat de installatie is voltooid, geeft Windows een melding dat uw
computer opnieuw opgestart moet worden om de updateprocedure
af te maken.

Als u niet wilt dat Windows uw computer direct opnieuw opstart,
klikt u op *Uitstellen*. Bedenk wel dat als u uw computer gedurende
langere tijd onbemand laat terwijl Windows Update bezig is met het
downloaden en bijwerken van Windows, de computer na een vooraf
ingestelde duur automatisch opnieuw zal opstarten.

9.6 Stuurprogramma's bijwerken en installeren

Veel problemen met uw computer of met hardwareonderdelen
zijn terug te voeren op niet goed werkende stuurprogramma's. Een
stuurprogramma (of driver) is een klein programma dat Windows en
andere software vertelt hoe het moet communiceren met een stuk
hardware. Een stuurprogramma vertelt Windows bijvoorbeeld hoe
het een Word-document moet afdrukken op uw printer.

Als een hardwareonderdeel niet goed werkt, moet u mogelijk het
stuurprogramma ervan bijwerken. Het is een goede gewoonte om dit
regelmatig te doen. Dit helpt uw pc gezond te houden.

9.6a   Opties voor het bijwerken van stuurprogramma's

- Windows Update kan zo worden ingesteld dat het automatisch aanbevolen updates downloadt en installeert, inclusief de nieuwste stuurprogramma's voor uw apparatuur.
- Vaak kunt u een stuurprogramma installeren vanaf een met de hardware meegeleverde dvd of cd van de fabrikant. Dit is handig voor het terugzetten van het stuurprogramma naar de fabrieksinstellingen.
- U kunt het stuurprogramma zelf downloaden en bijwerken via de website van de fabrikant. Dit is handig als Windows Update het stuurprogramma voor uw apparaat niet kan vinden en u geen dvd of cd heeft met daarop het stuurprogramma.

9.6b   Windows Update gebruiken om stuurprogramma's te installeren

U kunt Windows Update altijd even laten controleren of er inmiddels een nieuw, bijgewerkt stuurprogramma beschikbaar is voor uw apparatuur. Het is handig om Windows Update te gebruiken om een bijgewerkt stuurprogramma te zoeken als u net een nieuw apparaat heeft geïnstalleerd, zoals een printer:

❶ Klik op de Startknop. Typ in het zoekvak 'update' en klik in de lijst met resultaten op Windows Update.

❷ Klik op Naar updates zoeken in het linkerpaneel.

❸ Windows Update zal online controleren of er updates beschikbaar zijn. Klik op de links voor meer informatie over eventueel beschikbare updates. U kunt ook zien of een update wordt aangeduid als belangrijk, aanbevolen of optioneel. Stuurprogramma's kunnen onder elk van deze categorieën vallen.

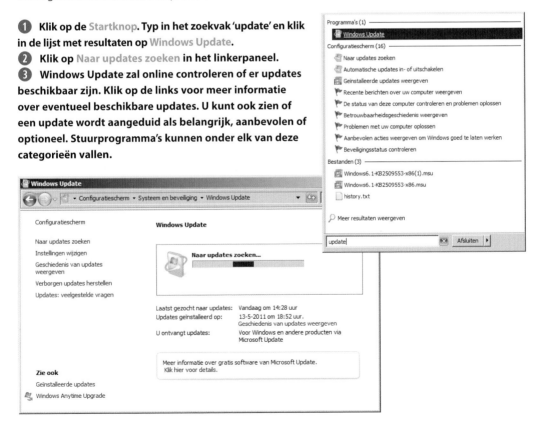

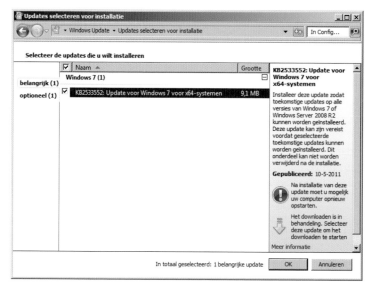

4 **Ga naar de pagina** Selecteer de updates die u wilt installeren **en zoek de updates op die relevant zijn voor uw hardwareonderdelen.**

5 **Zet een vinkje naast elk stuurprogramma dat u wilt installeren en klik op** OK.

6 **Ga terug naar de** Windows Update**-pagina en kies** Updates installeren. **Mogelijk dient u hier uw administratorwachtwoord in te voeren. De stuurprogramma's worden nu op uw computer geïnstalleerd.**

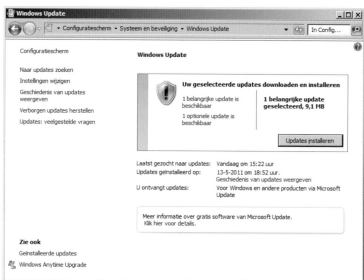

Tip

U kunt iedereen die uw computer gebruikt updates laten installeren door de optie *Alle gebruikers toestaan updates op deze computer te installeren* aan te vinken in Windows Update.

9.6c Automatisch installeren van aanbevolen updates voor stuurprogramma's

Om uw pc gezond te houden, is het verstandig Windows Update zo in te stellen dat het automatisch updates voor nieuwe stuurprogramma's zoekt, downloadt en installeert zonder dat u iets hoeft te doen. Windows Update downloadt en installeert in principe alleen belangrijke of aanbevolen updates, maar u kunt het programma ook opdragen dit voor de optionele updates te doen.

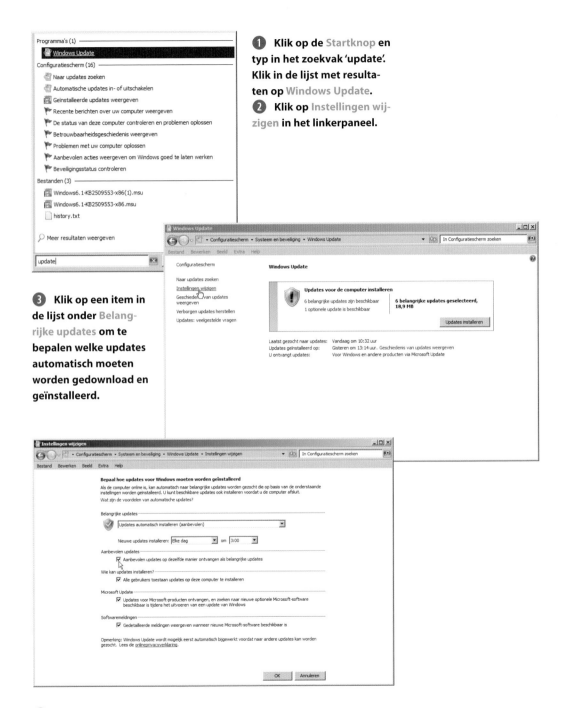

1 Klik op de Startknop en typ in het zoekvak 'update'. Klik in de lijst met resultaten op Windows Update.

2 Klik op Instellingen wijzigen in het linkerpaneel.

3 Klik op een item in de lijst onder Belangrijke updates om te bepalen welke updates automatisch moeten worden gedownload en geïnstalleerd.

4 Vink onder Aanbevolen updates de optie Aanbevolen updates op dezelfde manier ontvangen als belangrijke updates aan en klik op OK. Mogelijk moet u hier uw administratorwachtwoord invoeren.

9.6d *Handmatig stuurprogramma's downloaden en installeren*

Hoewel het een goed idee is om Windows Update het bijwerken van software en stuurprogramma's automatisch te laten verrichten, moet u soms ook zelf handmatig online op zoek naar een update van een stuurprogramma:

❶ Gebruik uw webbrowser om naar de website van de fabrikant van een hardwareonderdeel te gaan.

❷ Zoek in het supportgedeelte van de website naar het benodigde stuurprogramma en download dit.

❸ Volg hierna de installatie-instructies op de website. De meeste stuurprogramma's zullen zichzelf automatisch installeren nadat ze zijn gedownload – u hoeft alleen te dubbelklikken op het stuurprogramma om de installatieprocedure te starten.

9.6e *Handmatig installeren van stuurprogramma's*

Als het stuurprogramma niet automatisch wordt geïnstalleerd in stap 3 (hierboven), kunt u het handmatig installeren. U dient te zijn ingelogd als een administrator om dit te kunnen doen.

❶ Klik op de Startknop en dan op Configuratiescherm.

❷ Klik in het Configuratiescherm op Systeem en beveiliging en dan onder Systeem op Apparaatbeheer. Mogelijk moet u hier uw administratorwachtwoord invoeren.

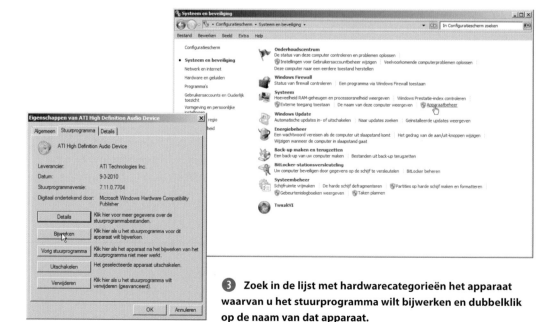

❸ Zoek in de lijst met hardwarecategorieën het apparaat waarvan u het stuurprogramma wilt bijwerken en dubbelklik op de naam van dat apparaat.

4 Klik op het tabblad Stuurprogramma en dan op Bijwerken. Volg de installatie-instructies om het stuurprogramma te vinden en te installeren.

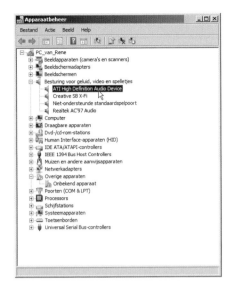

9.7   Mijn harde schijf is traag

Wanneer een groot bestand wordt opgeslagen op een harde schijf, slaat Windows delen van het bestand vaak op verschillende locaties op. Deze fragmentatie van bestanden zorgt ervoor dat de harde schijf van uw computer harder moet werken om bestanden te openen en ermee te werken. Dit kan uw pc trager maken. Alle harde schijven – inclusief usb-drives – kunnen gefragmenteerd raken.

Als uw harde schijf traag lijkt, kunt u in Windows 7 Schijfdefragmentatie gebruiken om delen van grote bestanden opnieuw te rangschikken, zodat alles efficiënter werkt. Schijfdefragmentatie kan op vooraf ingestelde tijden worden uitgevoerd. U kunt het ook handmatig doen.

9.7a   Uw harde schijf handmatig defragmenteren

1 Klik op de Startknop. Typ in het zoekvak 'schijf-defragmentatie'. Klik in de lijst met resultaten op Schijfdefragmentatie om het programma te openen.

2 Kies de schijf die u wilt defragmenteren uit de lijst onder Huidige status.

Tip

Ga als u een nieuw apparaat wilt kopen, zoals een printer, naar het *Compatibiliteitscentrum* (www.microsoft.com/windows/compatibility/windows-7/nl-nl/default.aspx). Hier vindt u een lijst met apparatuur die getest is op de juiste werking onder Windows 7.

Tip

Een ssd hoeft nooit gedefragmenteerd te worden. Hij wordt er zelfs trager van en het zal de levensduur van de schijf verkorten.

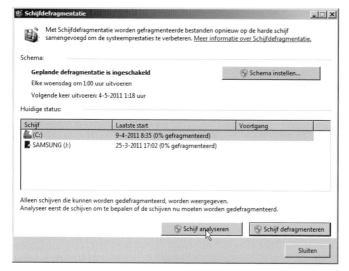

③ Klik op Schijf analyseren **om te zien of defragmentatie bij deze schijf nodig is. Mogelijk moet u hier uw administratorwachtwoord invoeren.**

④ Kijk zodra Schijfdefragmentatie klaar is met het analyseren van uw (harde) schijf naar het fragmentatiepercentage in de kolom Laatste start. **Als dit boven de 10% is, moet u de schijf defragmenteren.**

⑤ Klik op Schijf defragmenteren. **Eventueel dient u hier uw administratorwachtwoord in te voeren.**

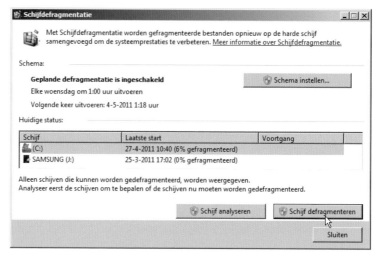

Afhankelijk van de grootte van de harde schijf en het aantal en de soort bestanden die op de schijf staan opgeslagen, kan het defragmenteren van de schijf enkele minuten tot meerdere uren duren. U kunt uw computer ondertussen gewoon blijven gebruiken.

9.7b *Ik kan mijn harde schijf niet defragmenteren*
Soms is Schijfdefragmentatie niet in staat uw schijf te defragmenteren. Meestal heeft dit een van de volgende oorzaken:

- Als de schijf al exclusief in gebruik is door een ander programma, of is geformatteerd via een bestandssysteem anders dan NTFS, FAT of FAT32, kan hij niet worden gedefragmenteerd.

HOUD UW PC GEZOND

- Schijven die via een netwerk toegankelijk zijn voor andere computers, zoals een andere thuiscomputer, kunnen niet worden gedefragmenteerd. U dient Schijfdefragmentatie dan uit te voeren op
  de pc met de harde schijf die u wilt defragmenteren.
- Als u de harde schijf die u wilt defragmenteren niet ziet onder
  Huidige status, kan deze een fout bevatten. Probeer de schijf te
  herstellen (zie pagina 148) en Schijfdefragmentatie opnieuw uit te
  voeren.

9.8   Mijn harde schijf werkt niet goed

Harde schijven van computers slaan al uw bestanden en gegevens
voor de lange termijn op. Maar soms kunnen ze problemen hebben
waardoor de rest van uw computer niet goed werkt of u geen
toegang heeft tot uw bestanden.

U kunt enkele computerproblemen oplossen door de schijf te controleren op fouten, om zo eventuele problemen met de prestaties
ervan te verhelpen (zoals een trage werking). Ook is het mogelijk een
externe harde schijf te controleren die u op uw computer heeft aangesloten om te bepalen of deze (niet) goed werkt.

9.8a   *Een harde schijf controleren op problemen*
① **Klik op de** Startknop **en dan op** Computer.
② **Rechtsklik op de schijf die u wilt controleren en kies** Eigenschappen
in het pop-upmenu.

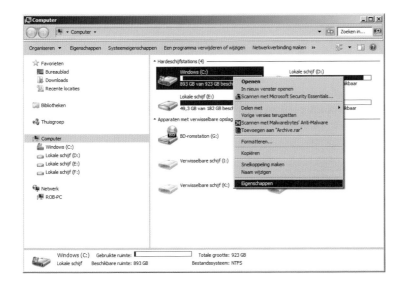

❸ **Klik in het** Eigenschappen-**venster op het tabblad** Extra. **Klik vervolgens onder** Foutcontrole **op** Nu controleren…. **Mogelijk dient u hier uw administratorwacht- woord in te voeren. Er wordt nu een scan uitgevoerd, waarbij wordt gezocht naar problemen en fouten met de geselecteerde harde schijf. Als de scan problemen tegenkomt en deze meldt, kunt u ze direct proberen te repareren.**

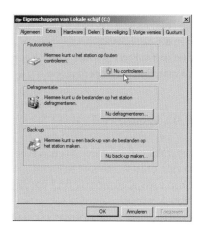

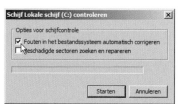

❹ **Om door de scan ontdekte pro- blemen met mappen en bestanden automatisch te verhelpen, vinkt u de optie** Fouten in het bestands- systeem automatisch repareren **aan voordat u op** Starten **klikt.**

9.8b *Een uitgebreidere controle van uw harde schijf*

Als de snelle scan van de harde schijf met de voorgaande stappen het probleem niet heeft opgelost, kunt u een uitgebreidere controle van de harde schijf uitvoeren:

❶ **Volg de stappen 1 en 2 van pagina 191.**
❷ **Klik in het** Eigenschappen-**venster op het tabblad** Extra. **Vink onder** Opties voor schijfcontrole **de optie** Beschadigde sectoren zoeken en repareren **aan. Mogelijk moet u hier uw administratorwachtwoord invoeren. Het kan enige tijd duren voordat deze scan klaar is, aange- zien het fysieke problemen met de harde schijf zelf probeert te vinden en te repareren.**

❸ **Om bestanden, mappen en ook de harde schijf te controleren op fysieke problemen, vinkt u zowel** Fouten in het bestandssys- teem automatisch repareren **als** Beschadigde sectoren zoeken en repareren **aan.**

4 **Klik op** Start**. Afhankelijk van de grootte van uw schijf en de bestanden die deze bevat, kan dit enkele minuten duren. U moet uw computer
niet gebruiken voor andere taken terwijl de harde schijf wordt gescand
en mogelijk wordt gerepareerd.**

9.9 Windows 7 opnieuw installeren

Als u Windows 7 moet terugzetten naar de oorspronkelijke instellingen omdat u te maken heeft met een groot, niet te verhelpen
probleem, kunt u Systeemherstel gebruiken om de computer te herstellen naar een eerdere staat (zie pagina 179 voor advies over deze
procedure). Of u installeert Windows 7 opnieuw en zet uw computer
terug naar de fabrieksinstellingen.

1 **Klik op de** Startknop **en dan op**
Configuratiescherm.
**Typ 'herstel' in het
zoekvak. Klik in de
zoekresultaten op** Uw
computer herstellen
of Windows opnieuw
installeren.
2 **Klik in het volgende venster op** Geavan-
ceerde herstelmetho-
den **en kies een van
de twee. Met de optie**

Uw computer herstellen
met een systeemko-
pie die u eerder hebt
gemaakt **herstelt u Win-
dows en enkele van uw
persoonlijke instellin-
gen en bestanden, zoals
foto's in de** Afbeeldin-
gen**-bibliotheek, via
een herstelschijf die u
eerder heeft gemaakt
(zie pagina 179). Met de
optie** Windows opnieuw
installeren (Windows-installatieschijf vereist) **installeert u Windows 7
opnieuw op uw computer, waarbij alle programma's worden verwijderd.**

Die zult u na afloop allemaal opnieuw moeten installeren. Ook uw bestanden zullen worden overschreven, dus maak daarvan eerst een back-up op een andere schijf (niet die waarop u Windows gaat installeren) of op een externe harde schijf.

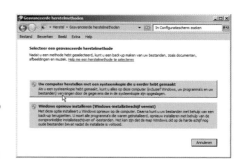

9.10 Verwijderde bestanden terugzetten

Als u per ongeluk een bestand heeft verwijderd of gewijzigd, of als u het niet meer kunt vinden op uw computer, kunt u het herstellen via Systeemherstel vanaf een back-uplocatie of door een paar eenvoudige controles uit te voeren.

9.10a *Controleer de Prullenbak*
Als u de Prullenbak, die meestal op het bureaublad staat, niet heeft geleegd, bevindt het verwijderde bestand zich mogelijk nog hierin en is het nog niet definitief gewist. Zo zet u het bestand terug:

❶ **Dubbelklik op het bureaublad op de** Prullenbak **en zoek het bestand dat u nodig heeft.**
❷ **Selecteer het bestand dat u wilt terugzetten, en klik op** Dit item terugzetten. **Het bestand zal nu weer verschijnen op de locatie waar het zich bevond voordat het in de Prullenbak terechtkwam.**

9.10b *Gewiste bestanden terugzetten vanaf een back-uplocatie*
Als u regelmatig back-ups maakt van uw bestanden (zie pagina 174) kunt u een gewist bestand terugzetten vanaf uw back-up.

1 **Klik op de** Startknop **en dan op** Configuratiescherm**. Klik op** Systeem en beveiliging **en dan op** Back-up maken en terugzetten**.**

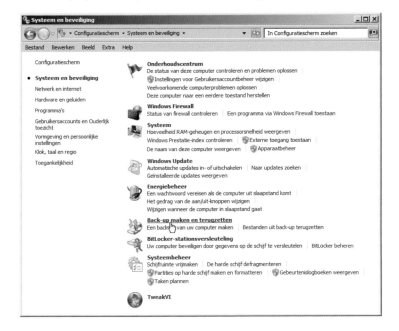

2 **Klik op** Mijn bestanden terugzetten **en volg de instructies op het scherm. Zie pagina 179 voor advies over het herstellen van uw pc.**

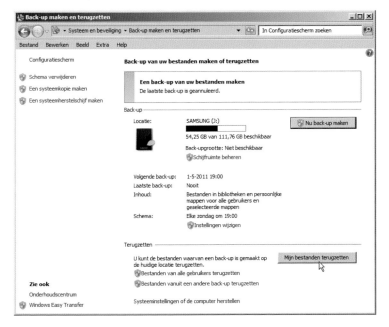

9.10c *Gewiste mappen of bestanden terugzetten*

Als u per ongeluk een map of een bestand op uw computer heeft gewist, kan Windows zowel back-ups als herstelpunten gebruiken om een specifiek bestand terug te zetten. Zie pagina 179 voor advies over herstelpunten.

1 **Klik op de** Startknop **en dan op** Computer.

2 **Zoek de map waarin het gewiste bestand of de verwijderde submap zich ooit bevond. Rechtsklik erop en kies** Eigenschappen.

3 **Klik op het tabblad** Vorige versies. **Dubbelklik in de lijst met vorige versies op de map waarin zich het vermiste bestand of de vermiste map bevond. Klik op** Terugzetten....

4 **Sleep de map of het bestand naar een andere map. Op die nieuwe locatie staat het klaar voor gebruik.**

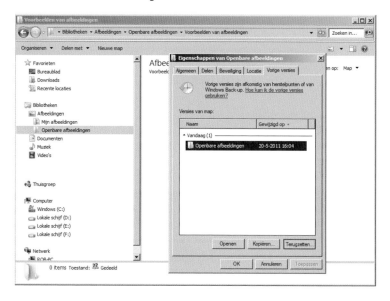

9.11 Mijn pc is zo traag

Als uw computer traag is en taken langzamer uitvoert dan voorheen, biedt Windows 7 verschillende hulpprogramma's en instellingen die uw computer wat meer snelheid kunnen geven.

9.11a *Informatie over prestaties gebruiken om snelheid te verhogen*
De eenvoudigste route naar het versnellen van uw pc is door enkele prestatie-instellingen te wijzigen. Hiermee vermindert u de belasting van de processor of harde schijf en verhoogt u de snelheid:

1 Klik op de Startknop en dan op Configuratiescherm.

2 Typ in het zoekvak van het configuratiescherm 'prestaties'. Klik in de lijst met resultaten op Hulpprogramma's voor en informatie over prestaties.

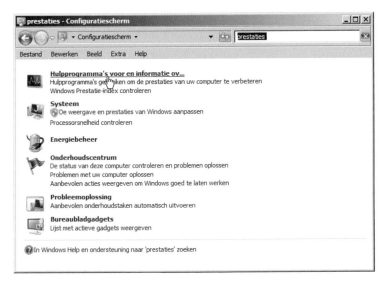

3 Kies in de onderstaande tabel een instelling waarmee u de prestaties van uw pc wilt verbeteren en pas deze aan via het linkerpaneel van het Prestaties-menu. Volg de instructies op het scherm.

Instelling	Omschrijving
Visuele effecten aanpassen	Wijzigt de manier waarop vensters en menu's verschijnen – lagere instellingen maken uw pc sneller.
Indexeringsopties aanpassen	Dit stelt in hoe Windows bestanden op uw pc indexeert, zodat u ze kunt vinden via een zoekopdracht.
Energie-instellingen aanpassen	Handig voor laptops: verhoogt de snelheid ten koste van de batterijduur.
Schijfopruiming openen	Dit verwijdert onnodige of tijdelijke bestanden op uw harde schijf, zodat u de hoeveelheid beschikbare opslag-ruimte kunt vergroten.
Geavanceerde hulpprogramma's	Geeft toegang tot meer geavanceerde hulpprogramma's zoals het Gebeurtenislogboek, Schijfdefragmentatie (zie pagina 189) en Systeeminformatie. U leest hier informatie over problemen die invloed hebben op de prestaties van uw pc en wat u hiertegen kunt doen.

9.11b *Andere stappen die u kunt ondernemen*

Er zijn nog enkele andere stappen die u kunt zetten om de snelheid van uw computer te verhogen:

Extra ram toevoegen

Zoek uit of u het intern geheugen (ram) van uw pc kunt upgraden. De website www.crucial.com is een handige manier om de soort en hoe-veelheid ram te identificeren die u kunt toevoegen aan uw pc. Extra ram toevoegen is niet zo moeilijk, maar u kunt het ook aan een expert overlaten (zoals een medewerker in een computerwinkel).

Upgrade Windows

Een oude versie van Windows kan uw computer behoorlijk traag maken. Als u nog steeds Windows xp of Vista gebruikt, wordt het mis-schien eens tijd voor een upgrade.

9.12 Tien huishoudtips voor uw pc

Om een pc soepel draaiend te blijven houden, maakt het veel verschil als u een vaste routine volgt bij het opgeruimd houden van uw com-puter. Hieronder geven we tien activiteiten die u niet mag missen en die uw pc helpen langer en beter te werken.

1 Ruim ongewenste programma's op

Veel computers worden bij aanschaf geleverd met heel veel extra programma's, inclusief probeerversies van softwarepakketten en proefabonnementen op antiviruspakketten. Al deze software kan veel opslagruimte innemen, dus probeer zo veel mogelijk programma's te verwijderen die u toch niet denkt te gaan gebruiken. Hoe u dit doet, leest u op pagina 53.

2 Beperk het aantal opstartprogramma's

Veel programma's worden automatisch en onopgemerkt op de ach- tergrond actief wanneer u uw computer aanzet. Dit leidt mogelijk tot een vastlopende of tragere pc. U kunt onnodige programma's redelijk eenvoudig uitschakelen. Zie pagina 26 voor het uitschakelen van opstartconflicten.

3 Herstart uw computer regelmatig

Als u de pc na gebruik altijd in de slaapstand zet, is het verstandig om uw pc ook af en toe helemaal opnieuw op te starten. Zo schoont u het geheugen op en worden eventuele geheugenproblemen opge- lost. Het sluit ook alle programma's die op uw pc actief zijn, inclusief verborgen programma's die op de achtergrond draaien – uw pc herstarten is dus een goed startpunt als uw computer zich vreemd gaat gedragen.

Om uw computer opnieuw op te starten, klikt u op de *Startknop* en vervolgens op de pijl rechtsonder in het *Startmenu*. Kies in het menu voor *Opnieuw opstarten*.

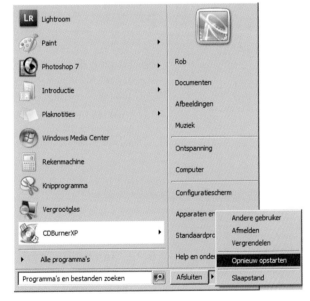

4 Beperk het aantal actieve programma's

Het lijkt misschien heel handig om allerlei activiteiten tegelijk uit te voe- ren door veel vensters en program- ma's op hetzelfde moment geopend te hebben. Toch loont het om ven- sters en programma's die u niet echt gebruikt af te sluiten. Als veel brow- servensters en e-mails op het scherm worden getoond, vertraagt dit uw computer. Sluit onnodige program- ma's af voor een snelheidsverhoging.

5 Haal rommel van uw harde schijf

Het is vrij eenvoudig om uw harde schijf te vullen met onnodige bestanden, zoals tijdelijke bestanden die door een webbrowser worden opgeslagen. Maar (te) veel van deze bestanden maken uw harde schijf langzamer, dus gebruik Schijfopruiming om onno- dige bestanden op te ruimen. Zo verwijdert u bestanden via Schijfopruiming:

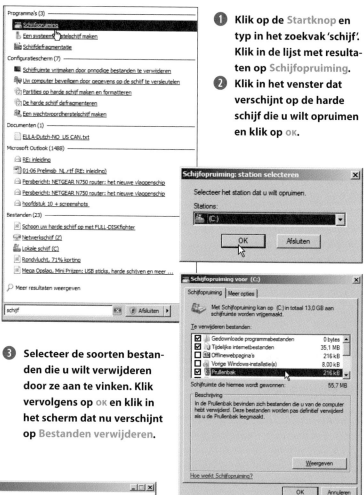

① Klik op de Startknop en typ in het zoekvak 'schijf'. Klik in de lijst met resultaten op Schijfopruiming.

② Klik in het venster dat verschijnt op de harde schijf die u wilt opruimen en klik op OK.

③ Selecteer de soorten bestanden die u wilt verwijderen door ze aan te vinken. Klik vervolgens op OK en klik in het scherm dat nu verschijnt op Bestanden verwijderen.

6 Defragmenteer uw harde schijf geregeld

Als uw computer een groot bestand op de harde schijf opslaat, wordt dit soms in kleinere delen opgebroken. Elk van deze deeltjes wordt op een andere locatie op de harde schijf gezet. Hierdoor kan de harde schijf trager worden. Windows 7 bevat een defragmentatieprogramma dat op vaste tijden kan worden geactiveerd. Zie pagina 189 voor meer informatie over defragmenteren.

7 Controleer op malware

Een van de huishoudelijke computertaken is het regelmatig scannen van uw pc met beveiligingssoftware. Deze controleert uw pc
op virussen en spyware die zonder dat u het weet op uw computer
kunnen zijn geïnstalleerd. Malware kan uw pc langzamer maken,
mogelijk waardevolle gegevens beschadigen of allerlei meldingen
op het scherm laten verschijnen. Spyware kan uw activiteiten op het
web traceren en sommige soorten kunnen zelfs uw toetsaanslagen
registreren in een poging om achter wachtwoorden en andere waardevolle gegevens te komen. Lees op pagina 126 hoe u een pc op
virussen controleert.

8 Verwijder oude e-mails

Het verwijderen van oude e-mails bespaart u kostbare opslagruimte.
Om een e-mail te wissen in Outlook, rechtsklikt u op het bericht in het
Postvak en kiest u *Verwijderen*. Als u een aantal berichten tegelijk wilt
wissen, klikt u op het eerste bericht, houdt u de shiftknop ingedrukt
en klikt u op het laatste bericht in de rij. Alle geselecteerde berichten
worden nu geaccentueerd. Druk op de deletetoets of rechtsklik op de
berichten en klik dan op *Verwijderen*.

Verwijderde e-mails gaan naar de map *Verwijderde items*. Om ze
volledig te wissen, rechtsklikt u op deze map en kiest u in het menu
voor *Map leegmaken*. Klik op *Ja* om dit te bevestigen.

9 Uw bureaublad opruimen

Het is sneller en makkelijker om iets terug te vinden op een opgeruimd
bureau, en dat geldt
ook voor het bureau-
blad van uw compu-
ter. Wanneer u een
nieuw programma
installeert, zal dit vrijwel altijd een nieuw
pictogram toevoegen
aan het bureaublad.
Het duurt dan niet
lang of uw Windows-
bureaublad staat vol
met pictogrammen
voor programma's die
u misschien al niet
eens meer gebruikt.
Tijd voor een grote
schoonmaak.

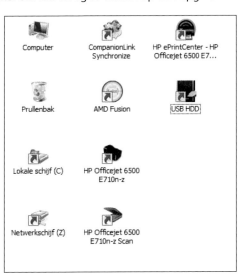

Zoek de snelkoppelingen die u niet meer nodig heeft, klik op een dergelijk ongewenst pictogram op het bureaublad en sleep deze naar de Prullenbak. Een snelkoppeling heeft altijd een klein pijltje in de linkeronderhoek. Door een snelkoppeling te wissen, verwijdert u niet het programma zelf.

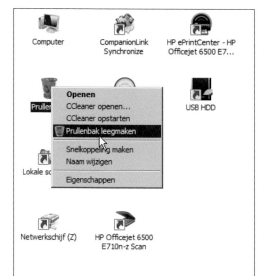

10 Denk eraan de Prullenbak te legen
Uw Prullenbak is het deel van de harde schijf waar u 'gewiste' bestanden opslaat. Bestanden kunnen hiervandaan nog worden hersteld en nemen dus ook nog kostbare harddiskruimte in. Om deze ruimte terug te winnen, leegt u de Prullenbak. Controleer voordat u hem leegt wel eerst of er echt niets meer in zit wat u liever toch niet wilt wissen.

Om de Prullenbak te legen, dubbelklikt u op het pictogram ervan op uw bureaublad. Klik in het menu *Bestand* op *Prullenbak leegmaken*.

9.13 Computer en apparatuur schoonmaken

Naast computerfouten en softwarestoringen kunnen sommige problemen een meer fysieke achtergrond hebben. Vuil, stof en het algemeen dagelijks gebruik kunnen veel ongewenste vuiligheid achterlaten op uw computer, scherm en andere apparaten. Zo houdt u alles sprankelend schoon:

9.13a *Wel en niet doen*
• Schakel de computer en het scherm uit en laat deze afkoelen voordat u gaat schoonmaken.
• Spuit nooit een vloeistof op of in de buurt van uw computer. Om een vloeistof aan te brengen (bij voorkeur water of een goedgekeurd computerreinigingsmiddel) doet u een klein beetje op een zachte doek. Wrijf vervolgens het oppervlak schoon met deze doek.
• Maak nooit een onderdeel in de computer vochtig.
• Gebruik een stofzuiger met een zachte borstel voor externe oppervlakken en ventilatieopeningen. Gebruik geen stofzuiger in de computerbehuizing zelf.
• Gebruik compressielucht (in korte stoten) om stof en rommel van computeronderdelen af te blazen.
• Reinig zachtjes: stoot niet tegen interne onderdelen aan, zoals het moederbord of de videoadapter.

- Gebruik geen doekje om interne computeronderdelen af te vegen.
- Rook niet bij een computer. Rookdeeltjes kunnen leiden tot roest-
  vorming en defecte onderdelen.

9.13b *Voorbereiding*
Voordat u aan de grote schoonmaak begint, sluit u de computer af en
haalt u de stekker eruit. U heeft de volgende hulpmiddelen nodig om
uw computer schoon te maken:
- wattenstaafjes of -schijfjes (pas op dat u geen stukjes katoen
  achterlaat);
- pluisvrije doek (of alcoholvrije doekjes);
- stofzuiger (bij voorkeur met zachte rubberen of borstelopzet-
  stukken);
- computerborstel (zoals een uitschuifbare antistatische borstel
  met zachte haren, een nieuwe, kleine huishoudborstel met zachte
  haren of een grote schilderskwast);
- compressielucht (bij computerwinkels beschikbaar in de vorm van
  spuitbussen);
- antistatisch polsbandje (voor als u de binnenkant van de pc reinigt).

9.13c *Reinigen van uw computerscherm*
Lcd-schermen zijn bijzonder gemakkelijk te beschadigen, dus oefen
niet te veel druk uit tijdens het schoonvegen.

1 **Begin met het zacht schoonvegen van het scherm met een zachte,
pluisvrije doek.**
2 **Maak de doek indien nodig iets vochtig (niet nat) met een klein
beetje water. U kunt ook antistatische schermreinigingsdoekjes gebruiken; deze zijn te koop in computerwinkels.**

9.13d *Reinigen van uw toetsenbord*
Kruimels! Het zal u verbazen hoeveel u er daarvan in uw toetsenbord
vindt, vooral als u gewend bent aan uw bureau te lunchen.

1 **Ontkoppel uw toetsenbord, draai het om en schud alle losse stof-
deeltjes en voedselresten eruit.**
2 **Spuit om de resterende rommel te verwijderen met een spuitbus
compressielucht tussen de toetsen of gebruik een stofzuiger met rubberen of borstelopzetstuk.**
3 **U kunt ook een computerborstel gebruiken (of een nieuwe, kleine
schilderskwast) om tussen de toetsen te vegen.**
4 **Veeg vervolgens het oppervlak af met een licht vochtig gemaakte
doek (niet nat) of gebruik wattenstaafjes die u licht vochtig heeft
gemaakt met wat water.**

Pas op

Gebruik bij het reinigen
van een lcd-scherm geen
schoonmaakproducten
voor de woning of doek-
jes met alcohol. Deze
kunnen de antiglanslaag
van lcd-schermen bescha-
digen. Gebruik ook geen
papieren doekjes (deze
kunnen schuren), maar
microvezeldoekjes.

Pas op

Het is een internetmythe
dat u uw toetsenbord
schoon kunt maken in de
vaatwasser. Uw toetsen-
bord wordt er zeker scho-
ner door, maar werken
doet het waarschijnlijk
nooit meer.

Hoewel alleen alcoholdoekjes uw toetsenbord vrij kunnen maken van bacteriën, zijn alcoholvrije doekjes beter voor uw toetsenbord en ze vegen er geen letters af.

9.13e Reinigen van uw computermuis

Gebruik een pufje compressielucht om pluizen en stof van de optische sensor af te blazen of veeg die er zachtjes af met een iets vochtig gemaakt wattenstaafje of -schijfje. Maak ten slotte eventuele niet-klevende 'pootjes' schoon, want ook daar kan zich vuil verzamelen.

9.13f Reinigen van uw computerbehuizing

U kunt de buitenzijde van een desktopcomputer of laptop schoonvegen met een vochtige doek en een stofzuiger gebruiken om ventilatieopeningen van stof te ontdoen. Gebruik een kleine borstelkop op de stofzuiger en beweeg deze langzaam over de ventilatie-openingen.

De omgeving rond uw computer schoonhouden is van belang voor een gezond koelingssysteem. Ventilatoren zuigen namelijk lucht naar binnen via de ventilatieopeningen aan de voorzijde van de kast en voeren deze aan de achterzijde weer af. Hierdoor worden de interne onderdelen onderweg afgekoeld. Als uw computer meer dan een jaar oud is of in een stoffige omgeving staat, is het verstandig de stroom eraf te halen en de behuizing te verwijderen (tenzij dit ten koste gaat van uw garantie).

Zorg ervoor dat u een antistatisch polsbandje draagt (te koop bij computer- en elektronicazaken) en maak de interne componenten zorgvuldig schoon met korte stoten compressielucht.

9.13g Reinigen van uw cd- of dvd-drive

Stof, vezels en haren in uw diskdrive kunnen problemen opleveren bij het branden en afspelen van schijven. Reinig de lade en de opening van uw optische drive met een droge doek, en gebruik een cd/dvd-schoonmaakdisk om het binnenwerk van de diskdrive schoon te maken.

9.13h Reinigen van uw oordopjes

Door meerdere mensen gedeelde koptelefoons of oordopjes kunnen bacteriën verspreiden of zelfs hoofdluis. Veeg ze af met een vochtige doek of deel ze het liefst helemaal niet met anderen.

10 ESSENTIËLE SOFTWARE

Door alle stappen in dit hoofdstuk
te lezen en te volgen, leert u:

- gratis handige programma's te
  downloaden van Microsoft
- gratis beveiligingssoftware te downloaden en
  te gebruiken ter bescherming tegen malware
- gratis programma's te downloaden en te
  gebruiken ter bescherming van uw kinderen

10.1 Microsoft Security Essentials

Tip

Ga om meer te weten te komen over de dreigingen die worden aangepakt door Microsoft Security Essentials naar www.microsoft.com/security/portal.

Als u uw computer wilt beschermen met (eenvoudige) beveiligings-software, heeft Microsoft verschillende beveiligingsprogramma's die voorkomen dat malware schade toebrengt aan uw computer.

10.1a *Wat zit er in Microsoft Security Essentials?*

Microsoft Security Essentials is gratis te downloaden via Microsoft en helpt u Windows 7 te beschermen tegen gevaarlijke software (malware). Na het programma te hebben gedownload, installeert het zichzelf en is het onopvallend op de achtergrond werkzaam. De software maakt u attent op mogelijke problemen met malware en voorkomt besmetting.

Hoewel het geen afdoende vervanging is voor een uitgebreid beveiligingspakket, zoals Symantec Norton Internet Security, bevat het wel *real-time* bescherming. Dit betekent dat Microsoft Security Essentials altijd op de achtergrond waakzaam is.

Pas op

Om de gratis software te kunnen gebruiken, dient u een Live-account aan te maken. In ruil voor allerlei privégegevens krijgt u een adres en Messenger-account toegewezen. U kunt vervolgens alle Live Essentials tegelijk installeren of losse programma's kiezen. U dient aangemeld te zijn om de software te kunnen gebruiken.

Download het via www.microsoft.com/security_essentials.

10.2 Windows Live Family Safety

Als u zich zorgen maakt over de veiligheid van uw kinderen tijdens het gebruik van uw computer en internet, en actuele rapportages wilt krijgen over hun onlineactiviteiten, dan is het gratis te downloaden Windows Live Family Safety een handige aanvulling op Microsoft Security Essentials.

10.2a *Wat zit er in Windows Live Family Safety?*

Het hart van Windows Live Family Safety wordt gevormd door een inhoudsfilter (in het Engels: *content filter*) dat actief voorkomt dat kinderen toegang krijgen tot voor hen ongeschikte websites. Het inhoudsfilter kan worden aangepast, zodat u verschillende niveaus kunt instellen voor toegang tot verschillende soorten websites.

Daarnaast bevat het programma activiteiten-rapporten, zodat u in de gaten kunt houden waar-mee uw kinderen bezig zijn op internet. Deze kunt u bedienen via een web-browser, zodat u vanaf elke locatie met een internetverbinding de instellingen kunt aanpassen. U kunt ook instellen met wie kinderen online contact mogen hebben via chatsoftware.

Download het via http://explore.live.com/windows-live-family-safety.

10.3 Windows Live Mail

Als u geen webmailaccount wilt gebruiken die e-mail online opslaat, kan het de moeite waard zijn eens te kijken naar Microsoft Windows Live Mail. Deze gratis te downloaden software laat u meerdere e-mail-accounts centraal beheren.

10.3a *Wat zit er in Windows Live Mail?*

Windows Live Mail biedt met Hotmail een manier om een (gratis in te stellen) e-mailaccount te lezen en te beheren terwijl u offline (dus niet online) bent. U heeft dan geen internetverbinding nodig om oudere e-mail te lezen. De software kan ook e-mail beheren van andere e-maildiensten, zoals Gmail en Yahoo!, en e-mail lokaal opslaan op uw harde schijf.

Andere functies zijn de mogelijkheid om foto's te optimaliseren wan-neer u ze als bijlage bij een e-mail verstuurt en effecten toe te voe-gen, zoals onderschriften en kaders. Ook kunt u er foto's in hoge kwa-

Tip

De beste manier om uw kinderen online te beschermen, is door op een positieve, open manier met ze te com-municeren, zodat ze hun grenzen begrijpen en zo snel mogelijk eventuele zorgen bij u zullen aan-kaarten.

liteit mee versturen zonder dat de e-mailaccount van de ontvanger wordt overstelpt met stapels grote bijlagen. Daarnaast kan Windows Live Mail bijvoorbeeld nieuwsberichten van websites direct afleveren in uw postvak.

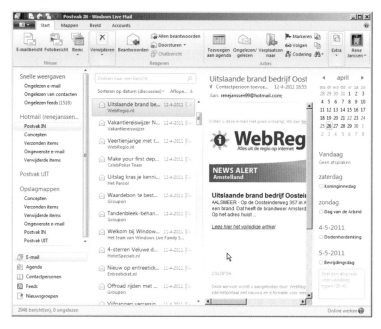

Download het via http://download.live.com/wlmail.

10.4 Windows Live Movie Maker

Windows Movie Maker was een standaardfunctie in voorgaande versies van Windows, maar zit niet meer in Windows 7. Microsoft wil dat gebruikers in plaats daarvan de nieuwere Windows Live Movie Maker downloaden. Het goede nieuws is dat de software gratis is en veel hulpmiddelen bevat voor het bewerken en delen van video's.

10.4a *Wat zit er in Windows Live Movie Maker?*
Ontwikkeld als een eenvoudig videobewerkingsprogramma, bevat Windows Live Movie Maker de mogelijkheid om videobeelden van een camcorder tot een homevideo te mixen, inclusief digitale foto's en muziek uit de muziekbibliotheek. De software bevat enkele basisfuncties, zoals het toevoegen van titels, aftiteling, effecten en overgangen, alsmede *panning* en *zooming*.

U kunt er ook geanimeerde diashows mee maken aan de hand van uw fotoverzameling en uw voltooide films of diashows rechtstreeks op sites als YouTube publiceren. Als u gebruikmaakt van Windows 7 Home Premium kunt u ook dvd's maken van uw films.

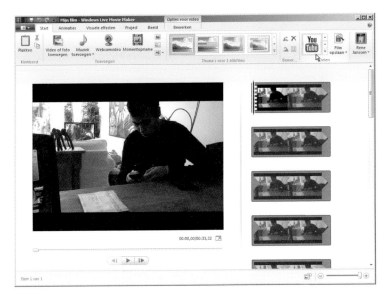

Download het via http://download.live.com/MovieMaker.

10.5 Windows Live Photo Gallery

Veel Windows 7-gebruikers die een upgrade doen vanaf een voorgaande versie van Windows zijn teleurgesteld als ze ontdekken dat Windows Photo Gallery niet langer aanwezig is. Het voordeel is wel dat deze software gratis te downloaden is bij Microsoft. Het programma biedt een reeks hulpmiddelen voor het importeren, beheren, bewerken en delen van uw foto's.

10.5a Wat zit er in Windows Live Photo Gallery?
Windows Live Photo Gallery biedt hulpmiddelen voor het organiseren, bewerken en delen van foto's. Voor hulp en advies over het gebruik van Windows Live Photo Gallery, zie pagina 154.

U kunt de kwaliteit van uw foto's automatisch verbeteren, maar Windows Live Photo Gallery heeft ook handmatige hulpmiddelen voor het wijzigen van kleuren, details en belichting. U kunt foto's beoordelen en labelen, zodat u ze snel terug kunt vinden. Ook kunt u foto's online delen, e-mailen of laten afdrukken.

Tip

Als u rechtsklikt op een leeg gedeelte van een galerij in Windows Live Photo Gallery en *Groeperen op* kiest, kunt u uw foto's groeperen op datum, bestandsgrootte, beoordeling, persoon, gebruikte camera, tag en meer.

Download het via http://download.live.com/photogallery.

3G Derde generatie mobiele netwerken, die het mogelijk maken grote hoeveelheden gegevens draadloos te verzenden. Mobiel breedband werkt via het 3G-netwerk.

Adsl (*Asymmetric Digital Subscriber Line*) Manier om gegevens te verzenden via de koperdraad van een telefoonlijn. De nieuwere, snellere variant heet VDSL (*Very-high-bitrate Digital Subscriber Line*).

Adware Software die uw internetgedrag volgt om uw interesses te bepalen en u daarop afgestemde reclame te leveren.

Antispyware Software die spyware voorkomt en/of verwijdert.

Antivirus Software die scant op virussen en deze van uw computer verwijdert.

Back-up Kopie van uw bestanden of programma's om deze veilig te bewaren. Een back-up van het hele systeem (besturingssysteem, alle software en bestanden) heet een *image*.

Bestandsextensie Toevoeging van een of meer letters die na een bestandsnaam komt. Deze letters geven aan wat voor soort document het is en met welk type programma u het kunt openen – een Microsoft Word-document eindigt bijvoorbeeld op doc of docx.

Besturingssysteem Software die uw computer beheert en de omgeving waarin programma's hun werk doen, bijvoorbeeld Windows 7 of Mac os x.

Beveiligde website Site waarop u kunt vertrouwen. Persoonlijke gegevens die u invoert, worden gecodeerd – versleuteld zodat cybercriminelen ze niet kunnen lezen – verstuurd tussen uw computer en de website in kwestie.

Beveiligingssuite Bundel van programma's die uw pc beschermen.

Bijlage (attachment) Computerbestand dat samen met een e-mail wordt verstuurd. Dit kan door de ontvanger worden geopend als de benodigde software voor het bekijken van de bestandsbijlage geïnstalleerd of beschikbaar is.

Bitmaplettertype Digitale versie van een letter die is opgebouwd uit puntjes (pixels). Hoewel geschikt voor op het scherm, zien de letters er vaak gerafeld uit wanneer ze worden afgedrukt.

Blog Afkorting van weblog, regelmatig bijgewerkt onlinedagboek.

Bluetooth Type draadloze verbinding met kort bereik, voor het overzetten van gegevens tussen apparaten.

Breedband Methode om verbinding te maken met internet via kabel of ADSL. Veel sneller dan een inbelverbinding.

Browser Software die het u mogelijk maakt webpagina's te bekijken, bijvoorbeeld Internet Explorer en Firefox.

Browsergeschiedenis Map die wordt opgeslagen door de browser, met daarin details over onlangs bezochte websites.

Buffer Deel van het computergeheugen dat door een programma wordt gebruikt als tijdelijke opslagruimte voor informatie, zodat die snel kan worden gebruikt.

Bureaublad Hoofdscherm dat u ziet wanneer u de computer start. Hiervandaan kunt u programma's starten en bestanden oproepen.

Cache Manier waarop webbrowsers onlangs bezochte pagina's, afbeeldingen en andere data opslaan, zodat ze een volgende keer sneller kunnen worden getoond.

CD-R/RW Een *Compact Disk Recordable* of *ReWritable* is een blanco schijf voor het opslaan van gegevens, foto's of muziekbestanden.

Configuratiescherm Serie programma's voor het aanpassen van de computerinstellingen, zoals wachtwoorden, internettoegang en toegankelijkheid.

Cookie Informatie die door een website naar de webbrowser van een gebruiker wordt gestuurd. De browser stuurt deze informatie vervolgens terug naar de website. Zo weten websites zich uw vorige bezoekjes te herinneren.

Cursor Symbool op het scherm dat toont waar het volgende door u getypte karakter zal verschijnen.

Dongel Klein apparaatje dat wordt aangesloten op een usb-poort van de computer en u draadloos verbinding kan laten maken met internet.

Downloaden Gegevens via internet overzetten naar uw computer.

Driveletter Elke drive op uw computer, zoals de harde schijf en de cd/dvd-drive, heeft een eigen letter toegewezen gekregen. Meestal heeft uw interne harde schijf de letter C gekregen, terwijl dvd- of cd-drives de letters E of F hebben gekregen.

DRM (*Digital Rights Management*) Software die het aantal exemplaren beperkt dat u kunt maken van bijvoorbeeld een muziekstuk of film.

DVD-R/RW Een *Digital Versatile Disc* is een schijf voor het opslaan van onder andere gegevens en films.

E-mailclient Computerprogramma dat e-mails beheert. E-mails worden opgeslagen op uw computer en u hoeft alleen maar verbonden te zijn met internet om e-mails te kunnen versturen en ontvangen.

Ethernet Manier om computers met elkaar te verbinden door het gebruik van kabels – een algemeen voorkomende methode voor het netwerken met computers.

Externe harde schijf Opslagapparaat dat op uw pc wordt aangesloten. Handig voor het bewaren van kopieën (back-ups) van belangrijke documenten of het creëren van extra opslagruimte.

FAQ's *(Frequently Asked Questions)* Oftewel vaak gestelde vragen. Websites reserveren hiervoor vaak een apart gedeelte.

Favorieten Verzameling favoriete websites die zijn bezocht en opgeslagen door de gebruiker.

Firewall Software (of hardware) die ongewenste communicatie blokkeert van, en vaak ook naar, internet.

Flash-content Interactieve, geanimeerde delen van een webpagina, zoals een spel, animatie of interactieve presentatie. Het wordt meestal gemaakt in een bestandsvorm die 'flash' heet.

Flash-drive zie *Geheugenstick*

Forum Onlinemededelingenbord voor chatten, het stellen van vragen en het uitwisselen van meningen.

FTP (*File Transfer Protocol*) Manier om snel bestanden van de ene naar de andere computer over te zetten.

GB (**Gigabyte**) Manier om de hoeveelheid opgeslagen gegevens te meten. 8 bits vormen samen een byte; 1000 bytes vormen samen een kilobyte; 1000 kilobytes zijn een megabyte; 1000 megabytes zijn samen een gigabyte.

Gebruikersnaam Ook bekend als login(naam), inlognaam of schermnaam; een unieke naam die wordt gebruikt om een persoon online te identificeren.

Geheugenkaart Verwisselbaar opslagmedium waar bijvoorbeeld foto's op staan die genomen zijn met een digitale camera. Ze zijn er in verschillende grootten en typen, waaronder Compact Flash, Multimedia, SD en Memory Stick.

Geheugenstick Klein, draagbaar opslagmedium dat gebruikt wordt voor het opslaan van gegevens. Wordt in een usb-poort gestoken en daarom ook vaak usb-stick genoemd. Ook bekend als flash-drive.

Harde schijf Belangrijkste opslagruimte die door uw computer wordt gebruikt om gegevens langdurig op te slaan. Ook bekend als harddisk.

Hardware Fysieke apparatuur, zoals een computer, beeldscherm en printer.

Icoon Klein symbool dat een programma of bestand vertegenwoordigt.

Image zie *Back-up*

Inbelverbinding Internetverbinding via een normale telefoonlijn, wat langzaam is in vergelijking met breedband. Vrijwel uitgestorven in Nederland.

Inloggen/uitloggen Inloggen of aanmelden is het verstrekken van een gebruikersnaam en wachtwoord om uzelf te identificeren op een website of pc. Uitloggen of afmelden is de site of pc laten weten dat u er niet langer gebruik van maakt. Hierna heeft u geen toegang meer tot de functies, totdat u weer inlogt.

ISP (*Internet Service Provider*) Bedrijf (internetprovider) dat uw verbinding met internet mogelijk maakt en onderhoudt.

Kaartlezer Apparaat voor het lezen van gegevens die zijn opgeslagen op geheugenkaarten, zoals gebruikt door digitale camera's.

Link Afkorting voor hyperlink; een link kan zowel tekst als een afbeelding zijn, waarmee u rechtstreeks naar een andere webpagina springt als u erop klikt.

Malware Kwaadaardige software. Een algemene term voor elk programma dat schadelijk is voor uw computer, zoals een virus en spyware.

MB **(Megabyte)** Manier om de hoeveelheid opgeslagen gegevens te meten. 8 bits vormen een byte; 1000 bytes zijn samen een kilobyte; 1000 kilobytes staat gelijk aan een megabyte.

Mbps (Megabits per seconde) Eenheid om gegevensoverdracht-snelheid mee aan te duiden, vaak gebruikt wanneer wordt gesproken over de snelheid van breedbandinternet.

MHz (Megahertz) De snelheid van de processor van uw computer wordt gemeten in megahertz. Eén MHz staat voor 1 miljoen cycli per seconde.

Modem Apparaat dat een computer in staat stelt informatie te versturen via een internetverbinding.

Mp3 Bestandsindeling voor digitale muziek. De kracht van deze bestandsvorm is dat het niet gekoppeld is aan een bepaalde fabrikant, zoals dat wel het geval is bij AAC (Apple) en WMA (Microsoft).

Mp3-speler Draagbare muziekspeler die digitale muziek afspeelt.

Netwerk Systeem van communicatie tussen twee of meer computers.

PDF Bestandstype dat alle grafische afbeeldingen, lettertypen en opmaak van een document vastlegt, ongeacht het programma waarin het werd gemaakt.

Phishing Type e-mailfraude waarbij men u via een truc probeert persoonlijke gegevens te ontfutselen, bijvoorbeeld door u naar een nepwebsite te leiden die als twee druppels water lijkt op de site van een officiële organisatie (zoals een bank).

Pictogram Klein symbool dat een programma of bestand vertegenwoordigt.

POP3 (*Post Office Protocol*) Manier om een e-mailserver (een computer die zich uitsluitend bezighoudt met het afleveren van e-mail) toe te staan om e-mailberichten te bezorgen aan uw computer.

Pop-up Klein venster dat verschijnt boven een item (woord of afbeelding) op uw computerscherm, om hierover extra informatie te geven. Kan ook een advertentie bevatten.

Poort Computeraansluiting waarop u apparatuur aansluit.

Processor Belangrijkste computerchip die de functies van een computer bestuurt en uitvoert. Hoe beter de processor, des te meer een computer kan doen in een bepaalde tijd.

Programma Computersoftware die een specifieke taak uitvoert, zoals een tekstverwerker of fotobewerkingsprogramma. Programma's draaien onder een besturingssysteem, zoals Windows.

RAM (*Random Access Memory*) Het kortetermijngeheugen van de computer dat alle draaiende programma's bevat.

Router Apparaat dat de route aangeeft van gegevens tussen computers en andere apparaten. Routers kunnen computers met elkaar verbinden of een computer verbinden met internet.

SMTP (*Simple Mail Transfer Protocol*) Standaardinternetprotocol dat een e-mailprogramma op uw computer in staat stelt uitgaande e-mails af te leveren op een e-mailserver (zoals een webmaildienst).

Sociale netwerken Manier voor mensen om online sociale contacten te onderhouden, bijvoorbeeld via een website als Facebook of Hyves.

Software Algemene term voor programma's die gebruikt worden voor het bedienen van computers en aanverwante apparaten.

Spam Ongevraagde e-mail.

Spamfilter Systeem dat u helpt spam uit uw inbox te weren.

Spyware Software die in het geniep wordt geïnstalleerd op uw computer en in staat is uw internetgedrag in de gaten te houden en gegevens daarover naar een derde partij te sturen.

SSD Snelle harde schijf op basis van chips, zonder bewegende delen.

Startknop Rond pictogram met daarin het Windows-logo, te vinden in de linkeronderhoek van uw scherm.

Stuurprogramma Software die uw computer in staat stelt te communiceren met andere apparaten, zoals een printer. In het Engels: *driver*.

Systeemvak Gedeelte van uw Windows-bureaublad dat programma-pictogrammen toont en u waarschuwt wanneer een actie nodig is.

Taakbalk Balk aan de onderzijde van uw scherm, van waaruit u programma's kunt starten en toegang heeft tot de belangrijkste Windows-functies.

Thuisgroep De naam die Windows 7 aan een thuisnetwerk geeft. Hierbij wordt ervan uitgegaan dat het om een beveiligd netwerk gaat en dat alle apparaten erin te vertrouwen zijn.

Trojan Computervirus dat zichzelf vermomt als een onschuldig programma om mensen te verleiden het te installeren. Dankzij trojans kunnen derden op afstand volledige toegang krijgen tot uw computer.

Uploaden Het proces van het verzenden van bestanden vanaf uw computer naar internet.

URL (*Uniform Resource Locator*) Het adres van een website.

Usb (*Universal Serial Bus*) Technologie waarmee u gemakkelijk gegevens kunt overzetten tussen een computer en bijvoorbeeld een camera of printer. Usb-kabels worden gebruikt om apparaten met elkaar te verbinden en worden in een usb-poort op uw computer gestoken.

Usb-stick zie *Geheugenstick*

Vastgepinde snelkoppeling Windows 7 gebruikt de term 'vastgepind' om aan te geven dat een programmapictogram is toegevoegd aan en altijd zichtbaar is op de taakbalk. Het verwijst naar het programma alsof het in feite is vastgemaakt aan de taakbalk.

Video-adapter Pc-onderdeel dat gegevens van de computer naar het scherm stuurt en dit weergeeft als het beeld dat u te zien krijgt.

Virus Kwaadaardig programma dat zich van computer naar computer verspreidt, verstopt binnen een ander programma of bestand.

Wallpaper Foto of afbeelding die als achtergrond wordt gebruikt voor het Windows 7-bureaublad.

Webbrowser zie *Browser*

Webmail E-mailaccounts die toegankelijk zijn via de webbrowser. E-mail wordt niet opgeslagen op uw computer.

Webpagina Bijna alle websites hebben meer dan één webpagina. Elke webpagina heeft een uniek adres (URL) dat u intypt om rechtstreeks naar die pagina te gaan.

Werkbalk Verticale of horizontale balk op het scherm, bestaand uit kleine pictogrammen die een taak uitvoeren wanneer erop wordt geklikt.

Wifi Draadloos netwerksysteem waarmee u gegevens kunt overzetten tussen veel verschillende apparaten.

Wizard Keuzehulpje dat u door een reeks stappen op het scherm leidt. Zo wordt u bijvoorbeeld geholpen instellingen in Windows te wijzigen.

World Wide Web Vaak simpelweg afgekort tot het web of www, verwijst het world wide web naar de miljarden websites die op servers in de hele wereld staan en toegankelijk zijn via webbrowsers.

Alles over digitale video

Een filmpje maken is – mede dankzij YouTube – populair. Maar hoe krijg je het beste resultaat en wat is het beste videobewerkings-programma? Er is in ieder geval genoeg geschikte filmapparatuur: smartphone, tablet, webcam, fotocamera en 'gewone' videocamera. Dit boek geeft duidelijke antwoorden, met heldere informatie, stap-voor-stapuitleg en een dvd met liefst 40 instructiefilmpjes. Zodat u spelenderwijs een film leert maken die u met plezier aan anderen laat zien.

1e druk, juni 2011 | ISBN 978 905951 1590 | paperback – 176 pagina's full colour – inclusief dvd | ledenprijs €18,75 – niet-ledenprijs €23,50

Veilig online

We gebruiken internet voor van alles: het vinden van informatie, het verrichten van financiële transacties, het verzenden van e-mail, het boeken van een vakantie, het spelen van spelletjes of het aansluiten bij een vriendenclub. Maar met de gemakken en het plezier van in-ternet kunt u ook narigheid binnenhalen, zoals virussen, aantasting van uw privacy en diefstal van persoonlijke gegevens om uw bank-rekening te plunderen. In dit boek krijgt u nuttige informatie over bedreigingen die u van buitenaf kunt verwachten en wat u ertegen kunt doen. Ook laten we zien hoe u zo veilig mogelijk telebankiert of aankopen doet via internet, en uiteraard hoe u de computer optimaal uitrust tegen onlinebedreigingen.

1e druk, maart 2011 | ISBN 978 90 5951 1552 | paperback – 176 pagi-na's – full colour | ledenprijs €17,50 – niet-ledenprijs €22

Geld & verzekeringen
101 Slimme geldtips
Geldzaken voor senioren
Handboek voor huiseigenaren
Het nieuwe sparen
Het slimme bespaarboek
Jaarboek Geld
Samen rijk worden
Samenwonen of trouwen
Scheiden
Slim nalaten en schenken
Testament & overlijden
Uw geldzaken online

Gezondheid & voeding
Gezond eten voor senioren
Gezond ouder worden
Greep op de overgang
Greep op uw geheugen
Hart & vaten gezond
Het juiste medicijn
Koken met de
    Consumentenbond
Lekker en licht eten
Medisch onderzoek van
    A tot Z
Veilig eten
Voeding en uw gezondheid

Vrouw & gezondheid
Zelf dokteren

Computers & internet
Alles over digitale fotografie
Alles over digitale video
Beeld & geluid in huis
De leukste gratis software
De leukste gratis software 2
Grote schoonmaak van uw
    computer
Haal nóg meer uit uw pc
Maak uw collecties digitaal
Muziek uit uw computer
Slim internetten
Veilig online

Diversen
1001 Reparaties in huis
500 Handige huishoudtips
Alles over huishoudelijke
    apparaten
Buitenonderhoud
De mooiste steden
Haal uw recht
Testjaarboek
Vlekkengids

Leden van de Consumentenbond ontvangen korting op deze boeken.
U bestelt ze via Service en Advies (070) 445 45 45 of via internet:
www.consumentenbond.nl/webwinkel.

Bent u lid? Houd dan uw lidmaatschapsnummer gereed. We zijn op
werkdagen van 8 tot 20 uur bereikbaar (vrijdag van 8 tot 17.30 uur).
Voor bestellingen en aanmeldingen als lid kunt u verder 24 uur per
dag gebruikmaken van de voicemail of onze website.